Chère Micheline,
Merci de ta présence à ce
lancement. Je souhaite que "ma
soeur, ma Lumière" t'accompagne,
tel un ami, dans tes réflexions
sur la vie, la mort et l'amour.
Aimez la Vie.
Affection. Gaëtane xo

Ma Sœur
Ma Lumière

GAÉTANE GROLEAU

MA SŒUR
MA LUMIÈRE

Accueillir la mort d'un être cher

Données de catalogage avant publication (Canada)

Groleau, Gaétane

Ma sœur, ma lumière : accueillir la mort d'un être cher

ISBN 2-89466-066-9

1. Malades en phase terminale - Relations familiales. 2. Cancéreux - Relations familiales. 3. Accompagnement des mourants. 4. Mort - Aspect psychologique. 5. Mort - Aspect religieux. 6. Groleau, Gaétane. I. Titre.

R726.8.G76 2002   362.1'75'019   C2001-941797-7

Nous reconnaissons l'aide financière du gouvernement du Canada par l'entremise du Programme d'aide au développement de l'industrie de l'édition (PADIÉ) pour nos activités d'édition.

Conception graphique
de la page couverture : Carl Lemyre

Photographie de la
page couverture : Constance Lamoureux

Infographie : Christian Feuillette

ISBN 2-89466-066-9

Dépôt légal : Bibliothèque nationale du Québec, 2002
            Bibliothèque nationale du Canada, 2002

Distribution : Diffusion Raffin
            29, rue Royal
            Le Gardeur (Québec)
            J5Z 4Z3
            Courriel : diffusionraffin@qc.aira.com

Site Internet : http://www.roseau.ca

Imprimé au Canada

À Jocelyne,
ma sœur dans la pièce à côté.

À Julianna,
puisses-tu ainsi connaître ta grand-mère.

À tous ceux qui m'ont inspirée, éclairée,
protégée et aimée
sur ce chemin de l'écriture.

À tous ceux qui aiment.

« Mon travail est une prière
pour mon plus grand bien et celui des miens. »

STELLA TERRILL MANN

PRÉFACE

L e décès d'un être cher est une réelle initiation. Pour avoir côtoyé la mort de très près et avoir rencontré la souffrance qui accompagne le départ brusque ou prolongé de celui ou de celle qu'on aime, j'ai découvert que cette douleur est révélatrice de soi et de sa relation à l'autre.

Pour avoir aussi accompagné en tant que psychothérapeute, mes patients lors de leur transition, j'ai découvert qu'il existait des morts plus agréables et d'autres plus difficiles à vivre et même à accepter.

Pour avoir aussi accompagné mon époux dans sa propre transition et rencontré la douleur violente qui suit la perte d'une âme sœur, j'ai compris que la mort de l'autre nous ramène au mystère de notre propre mort, au mystère de la vie et au mystère de l'amour.

Le récit de Gaétane Groleau est un récit d'amour et un parcours d'apprentissage des étapes que chacun peut vivre face à la mort et au choix d'un être cher de partir dans les conditions qui semblent faire partie d'une mise en place reliée à cet être.

Dans ce livre nous suivons Gaétane pas à pas dans sa rencontre avec la maladie transformatrice que vit sa sœur et aussi pas à pas dans le passage de la vie à la mort.

Accueillir l'autre dans sa liberté de mourir est un signe d'amour profond. La douleur que peut provoquer le départ d'un être cher peut se révéler à nous comme étant une douleur destructrice tout comme une douleur initiatrice.

Qu'est-ce qui fait que l'un choisit de mourir avec l'autre ou que l'un choisit de découvrir les grands mystères de la vie, la mort et l'amour et d'être initié par une douleur qui devient créatrice?

Le récit de Gaétane nous donne une clé ; je vous souhaite, cher lecteur, de trouver en ce livre la clé qui vous convient.

MARIE LISE LABONTÉ

Introduction

Il m'aura fallu un an pour comprendre que je ne pouvais garder cette histoire pour moi seule, ou à tout le moins la garder à l'intérieur de moi sans l'exprimer dans ses moindres recoins, dans son extériorité mais surtout dans sa profondeur, bien que je sois consciente que cette expérience n'ait pas fini de me parler, de se révéler à moi pour me faire grandir, me faire avancer en terrain inconnu. Un an pour me décider à raconter noir sur blanc ces journées ancrées dans ma mémoire parce qu'elles ont touché profondément mon âme et changé à jamais ma perception de la vie et de la mort.

Il m'aura fallu me retrouver durant quelques jours alitée et souffrante, dans la détresse de ma sœur, à ne plus savoir s'il s'agissait d'elle ou de moi, à ne plus vouloir sentir mon corps, à ne plus pouvoir contenir cette douleur interne qui demandait à s'exprimer, pour accepter enfin d'entendre cet appel à l'écriture qui allait me permettre de me retrouver, corps et âme. Un an jour pour jour avec la décision du lâcher-prise de Jocelyne, qui marqua le début d'une expérience à nulle autre pareille, l'expérience d'apprivoiser la mort, d'abord dans les mots, ensuite dans l'entièreté de sa réalité. L'expérience à la fois la plus exaltante et la plus déchirante que j'aie vécue.

1

C'est une journée comme les autres, de celles dont on ne pense certainement pas se souvenir dans un an. Ma sœur Jocelyne vient souper à la maison ce soir. Une occasion spéciale en soi tout de même puisqu'elle n'habite pas la région et que nous nous voyons à quelques rares occasions, même si nous nous téléphonons régulièrement. Son travail de formatrice l'a amenée en Outaouais pour quelques jours. Nous nous réunirons autour d'une raclette pour l'événement; avec abondance de fromage, légumes, poulet et crevettes! Jocelyne est une fine cuisinière et se définit autant comme gourmet que gourmande. Bien la recevoir à ma table, c'est lui faire honneur et s'assurer d'un bonheur certain pour elle. J'entends déjà ses « Hum, ça va être bon ! » et je la sens saliver de plaisir alors qu'elle choisit ses aliments pour préparer son festin.

Car ma sœur est une jouisseuse de la vie, sous tous ses angles. Absolument tout l'intéresse. Elle aime toucher, voir, entendre, sentir et goûter avec le même plaisir toujours inégalé de la découverte qui s'offre à elle. Faire l'inventaire de tous ses champs d'activités risquerait d'être long mais surtout de ne pas lui rendre justice. Ce bonheur que je lui veux est d'autant plus présent chez moi qu'elle m'a tirée d'un trou noir dans lequel j'allais sombrer à la suite de problèmes de santé. Sa patience, sa disponibilité, sa clairvoyance face à ma situation et sa capacité à m'aider à *me* choisir à travers mes difficultés ont déclenché chez moi une reconnaissance éternelle, dépouillée de tout sentiment de dette, à la mesure de ce que je considère être sa générosité à mon égard. À travers les nombreuses heures pendant lesquelles elle m'a accordé une oreille et un cœur attentifs, j'ai redécouvert une femme extrêmement chaleureuse, habile à redonner confiance en soi et, surtout, j'ai ressenti toute l'affection pour moi qu'elle portait en elle depuis longtemps.

En ce troisième jour de novembre, sa visite est d'autant plus une joie que depuis quelque temps déjà je vais beaucoup mieux, en fait je me sens bien à nouveau. Ma santé, physique autant que mentale, favorise davantage la réciprocité de nos échanges. Nous goûtons de pouvoir à nouveau nous raconter mutuellement nos projets, nos découvertes, nos préoccupations. Toutes les deux habitons un corps qui nous parle. En fait, dans les deux cas, il a dû crier à plusieurs reprises pour se faire entendre. L'une et l'autre, à notre rythme, avons fini par comprendre, par intégrer à notre psyché, que nos maux physiques sont là pour nous dévoiler nos malaises intérieurs. Vivre au quotidien avec un corps qui parle, être présente à ce qui se dit, chercher à décoder ses messages devient peu à peu un outil unique de croissance personnelle. Alors que le tumulte est tel que les informations apparaissent indéchiffrables, l'écoute des profondeurs du corps établit le contact de façon encore plus intime avec soi-même, avec son énergie vitale. Nous en sommes là, toutes les deux. À partager la même quête, la même soif de paix intérieure. À apprécier d'être sur la même longueur d'onde quant à notre recherche d'une vie intérieure plus féconde.

Je la rejoins à son lieu de travail et elle est exubérante de joie : son nouveau contrat comportera trois autres sessions qui n'étaient pas prévues à prime abord. Elle veut fêter ça. Nous décidons donc de passer par un magasin de la Société des alcools pour se procurer de quoi arroser notre repas de ce soir et elle en profitera pour choisir une bouteille à apporter à la maison afin de célébrer également l'occasion avec Martin, son mari.

De quoi était-il question au juste dans cette mémorable discussion qui nous retenait dans l'auto, incapables que nous étions d'ouvrir les portières tellement le feu des échanges était intense ? Nous étions arrivées à destination et pourtant, on aurait pu croire que notre but était de jaser là, tout bonnement, puisque nous n'étions préoccupées par rien d'autre que la discussion qui nous interpellait. J'ai beau essayer de me rappeler la nature de nos échanges à ce moment précis, ma mémoire n'a pas enregistré cette information. Ce qui est certain, c'est que le sujet nous tenait à cœur intimement car, avec Jocelyne, on ne parlait guère de la pluie et du beau temps, surtout si on n'avait pas l'occasion de jouir souvent de sa présence. Et cela était particulièrement vrai pour moi qui sentais, qui savais, que j'avais tant à apprendre d'elle. Notre tête-à-tête était prenant. Ce ne fut qu'après une bonne vingtaine de minutes que nous nous sommes finalement résolues à ouvrir les portières de l'auto pour interrompre, ne fût-ce que brièvement, notre précieuse conversation. À ce moment-ci et à mon insu, ma mémoire a enregistré les informations qu'elle jugeait significatives puisque quelque trois mois plus tard, alors que j'entrais dans ce même établissement, ma bande enregistreuse interne se mit à se dérouler sans même que je passe la commande.

C'était la première fois depuis le décès de ma sœur, à peine deux mois après cette conversation, que je mettais les pieds à cet endroit. Alors que Jocelyne et moi allions pénétrer dans ce commerce, je m'étais permis de dire à ma sœur à quel point j'aimais sa présence à mes côtés.

– On a tellement de choses à se dire quand on est ensemble. Je crois que l'on pourrait passer des jours à parler sans s'arrêter, si on n'était pas obligées de le faire pour dormir. J'aime ça parler avec toi. Je sens qu'on est vraiment des âmes sœurs et je ne vois aucune limite à nos échanges. Il y a tellement de sujets que je voudrais aborder avec toi. Je me sens vraiment bien avec toi... mais je ne vivrais pas avec toi, dis-je en boutade, pour conclure cette déclaration impulsive.

– Moi aussi je me sens vraiment bien avec toi, Gaétane... mais moi non plus je ne vivrais pas avec toi, me répond-elle sur la même note d'humour.

Conscientes toutes les deux du risque que nos personnalités respectives s'entrechoquent dans le quotidien, ces aveux spontanés nous font rire d'un grand éclat. Cette conversation est bien gravée dans ma banque d'information personnelle, bien vivante dans ma boîte de souvenirs étiquetée « Ma sœur Jocelyne ». Lui dire combien je l'appréciais sans me douter de ce que nous allions vivre ensemble dans les prochaines semaines. Pouvoir se dire, mais surtout jouir du bonheur d'être ensemble et ressentir profondément et mutuellement cette complicité, m'a comblée profondément à ce moment-là et me comble encore aujourd'hui, maintenant que ma sœur n'est plus à mes côtés.

L'intimité avec Jocelyne se vivait au centre de soi, là où sont les vraies questions. Jocelyne avait ce désir, toujours à vif, de rencontrer l'autre dans son essence même, dans son être authentique. L'accueillant dans ce qu'il avait de meilleur. Recueillant en cours de route tout apprentissage susceptible de l'aider dans sa propre démarche de croissance personnelle. « Chaque personne rencontrée a quelque chose à m'apprendre », m'avait-elle dit un jour, profondément mue par cette croyance. Plus souvent qu'autrement, il me semble, *c'est elle qui apportait* son support, son éclairage, l'information qui tombait pile.

En cette soirée du 3 novembre, nous nous retrouvons donc au salon après le repas pour échanger en toute intimité. Elle me parle de façon décousue et, à ce moment-là, je ne sais pas bien lire à travers ce flot d'informations que je peux maintenant retracer en fouillant dans ma mémoire. Elle se plaint de l'énergie qui lui fait défaut, de ce malaise qu'elle ressent à la poitrine et des investigations qu'elle a faites pour y voir plus clair, toujours sans obtenir de résultat. Le dernier médecin consulté, incapable de poser un diagnostic précis, lui conseille d'aller rencontrer un psychologue. Elle en est profondément offusquée, certaine que son mal cache un problème physique réel. Déroutée par la seule solution offerte, elle se remet en question.

– Penses-tu que je puisse me tromper à ce point-là ?

Elle mentionne cette tache au poumon, identifiée suite à une pneumonie qui n'en finissait plus il y a trois ans. Elle n'est plus certaine d'avoir passé les radiographies de contrôle. Et si elle les avait bel et bien eus ces examens...

– Aurait-on négligé de voir cette tache si elle est très petite ?

C'est la première fois qu'elle me parle de cette façon de ses problèmes de santé. Elle semble inquiète et en même temps elle affiche un certain détachement. J'arrive difficilement à la suivre dans sa réflexion. Je me rappelle que nous parlons de la mort. Je ne sais plus ni le ton ni le contenu de cet entretien. Je me souviens seulement que nous avons abordé ce thème. J'ai beau essayer de faire remonter à la surface nos propos à ce sujet, c'est le vide absolu dans ma mémoire. Mais je sais que nous avons parlé de la mort. Puis, elle me donne les coordonnées d'un document qui traite de la genèse du cancer. Elle est enthousiasmée par les retombées des découvertes qui y sont présentées. Elle regrette de ne pas se sentir l'énergie pour aller à fond dans le projet du centre qu'elle veut développer pour les personnes souffrant de cette maladie.

– Je ne veux pas abandonner, ça fait des années que je le vois dans ma tête, que je me prépare, que je lis sur le sujet, que je travaille avec des gens qui pourraient bénéficier de cette aide additionnelle.

Elle me fait part de son emballement alors qu'elle trouve enfin une complice pour l'accompagner dans cette démarche ; une infirmière œuvrant déjà auprès de personnes atteintes de cancer partage son rêve. Leur première session intensive de travail permet d'entrevoir la concrétisation du projet. Pourtant, le mandat lui pèse très lourd sur les épaules à ce moment-ci. Comme elle s'est assigné un échéancier de travail qu'elle n'arrive pas à respecter, elle se sent très mal à l'aise de retarder une fois de plus la prochaine session de travail prévue avec sa collègue. Je l'invite à mettre simplement le projet de côté pour le moment et à le reprendre lorsqu'elle se sentira en bonne forme physique. Cette avenue la soulage au plus haut point, comme si elle attendait une permission extérieure pour prendre soin d'elle d'abord.

Au réveil, le lendemain, elle me raconte que sa nuit a été peu réparatrice puisqu'elle avait de la difficulté à trouver une position confortable pour dormir, tant elle avait mal. D'aussi loin que je me rappelle, elle a toujours eu de la difficulté à trouver le confort nécessaire au sommeil, particulièrement dans un lit qui n'était pas le sien. La fibromyalgie dont elle souffre depuis plusieurs années m'ayant rendue familière de ses malaises et ses inconforts, je ne m'alarme pas, bien que je déplore avec elle cette situation. Comme elle a appris à vivre avec son mal, la voilà qui prend plaisir à observer les oiseaux qui se présentent à la mangeoire pendant que nous prenons notre petit-déjeuner.

– Ah qu'il est beau ! s'exclame-t-elle soudainement.

– C'est un cardinal rouge, j'ai rarement sa visite.

Et nous voilà toutes deux à nous extasier sans fin devant cet oiseau si magnifique. Un vrai cadeau du ciel !

12 novembre. Je reviens de ma marche quotidienne sur le bord du canal Rideau. Mon téléphone a enregistré un message de ma sœur. Je l'ai souvent appelée «en plein jour», c'est-à-dire à plein tarif interurbain, et je sais que ce genre d'appel signifie qu'il se passe quelque chose de spécial.

– Gaétane, je voulais te dire ce qui se passe avec moi, je te reparle plus tard.

Sa voix est brisée, inhabituelle, et la peur s'empare de moi. Je pressens qu'il se passe quelque chose qui va changer nos vies, je dis bien *nos* vies, car ma relation à Jocelyne fait en sorte que ma vie est liée à la sienne d'une façon ou d'une autre, et je ne peux l'expliquer.

Cette peur, c'est une brisure interne, le pressentiment d'une déchirure dans l'âme. Je la reconnais pour l'avoir vécue à quelques reprises dans ma vie. Le jour où j'ai appris que mon bébé de trois mois avait des cataractes congénitales et devait être opéré de toute urgence pour augmenter ses chances d'améliorer sa vision. Puis le jour où mon frère Denis, l'aîné des garçons, m'a appelée pour me dire que notre père avait eu un accident cardiovasculaire, aux petites heures du matin. Dans ces moments-là, on sent que quelque chose va bouleverser notre vie, et bien que l'on ne sache pas le cours des événements, on sait qu'il y aura une brisure, un deuil de quelque sorte à faire, et on se sent impuissant, désemparé. Cela ne dure qu'un instant, tout petit, mais c'est un indicateur que s'amorce en nous un processus de changement dans notre vie et dans la perception de notre vie.

Je la rappelle tout de suite.

– Je suis installée dans mon fauteuil, les pieds sur la porte du poêle à bois. Je n'ai pas la moindre énergie pour faire quoi que ce soit. J'ai encore cette forte douleur au niveau de la cage thoracique. Je ne sais pas ce qui me fait souffrir ainsi.

Bien qu'elle m'exprime ses maux physiques et ses inquiétudes face à son état de santé, quelque part sa voix se fait rassurante. À moins que ce ne soit moi qui veuille être rassurée et n'entende que ce que je veux bien entendre.

– C'est ça, repose-toi et ça ira mieux ensuite.

C'est que, comme tous ceux qui connaissent Jocelyne, je suis habituée à ses problèmes de santé sur lesquels elle finit toujours par prendre le dessus. Il s'agit d'un autre épisode. Que d'insouciance de ma part, maintenant que je sais... Comment imaginer qu'une personne aimée puisse mourir de maladie quand cette personne nous apparaît invincible, indispensable, le reflet même de la vie ? Quand la mort ne signifie rien pour nous parce qu'elle ne nous a jamais arraché un des êtres les plus précieux de notre existence. Quand on n'a pas encore compris jusqu'à quel point la personne aimée compte pour nous.

Il y a pourtant des moments charnières pendant lesquels on sent que l'on enracine son affection, des moments d'ouverture à la grâce et à la générosité de l'autre, des moments où l'on sent les vibrations de l'autre nous pénétrer intimement. Il y a pourtant des moments qui semblent avoir été mis en place exactement pour être rappelés à notre attention en temps opportun. Moments d'une grande beauté qui imprègnent notre âme de leur chaleur.

Il me faut remonter le temps jusqu'à ces trois journées d'avril dernier pendant lesquelles ma sœur m'accueille dans sa nouvelle demeure. Elle a réalisé depuis peu son rêve de construire en forêt, au bord de l'eau, une maison dans laquelle elle et son mari pourront vivre et recevoir enfants, parents et amis. Un endroit magique, chaleureux comme ses habitants, au cœur de la nature et vibrant au même rythme qu'elle. Un petit paradis sur terre pour communier avec la lumière environnante. Pendant deux ans, tout en poursuivant ses activités professionnelles, Jocelyne fignole la conception des plans de leur future demeure. Elle planifie la maison en fonction du mobilier qu'elle chérit et tient à conserver. Elle s'amuse à transporter, au gré de ses fantaisies architecturales, les meubles de papier dessinés à l'échelle. Portant une attention particulière à l'aspect fonctionnel de la cuisine, elle l'imagine dans ses moindres détails. Alors que Martin s'entoure au besoin de quelques professionnels de la construction, Jocelyne s'associe à toutes les étapes de la mise en œuvre, identifiant le site au cœur du boisé qu'ils viennent d'acquérir, choisissant les matériaux, ne laissant au hasard aucun de ces petits détails qui font aujourd'hui le charme absolu de cette belle résidence. La maison vibre encore de sa participation active aux travaux de construction, Jocelyne jouant du marteau pour monter les divisions intérieures, vernissant les murs extérieurs. En aménageant sa demeure, elle a peint le tableau même de sa vie, en se mettant à nu. Celui ou celle qui cherche à la rencontrer pourra facilement, avec un peu d'observation, une lecture attentive des objets en place dans l'environnement, identifier ses talents et ses occupations: pouce vert, fine cuisinière, pianiste à ses heures, couturière, thérapeute, lectrice avide, décoratrice passionnée entichée de meubles anciens.

Le cœur de la maison, la salle à manger avec sa cuisine attenante, accueille fréquemment de nombreux convives. Une grande table avec ses chaises assorties, un buffet et un vaisselier deux corps constituent les joyaux de ses meubles anciens. Toutes les occasions sont bonnes pour recevoir la famille et les amis, sur invitation ou à l'improviste. Dès que nous nous approchons de cet important centre d'activités, notre odorat est sollicité par les fleurs des champs recueillies et abreuvées pour en conserver les parfums, à moins que ce ne soit par l'odeur du bois qui se consume tout doucement dans le poêle. Ou les framboises qui concentrent leur jus pour se transformer en savoureuses confitures. Les arômes occupent une place de choix dans l'univers de Jocelyne. Et nous en bénéficions tous. Adjacent à ce lieu, un petit mur de photos révèle deux points d'ancrage de Jocelyne : sa famille, ses racines. Les photos racontent des moments heureux de son histoire familiale. Dans cet album mural se côtoient quatre générations de gens qu'elle aime : ses enfants, ses frères et sœurs, ses parents et leurs familles respectives, ses beaux-parents, ses grands-parents maternels et paternels. Jocelyne est la mémoire de la famille, cherchant depuis toujours à connaître les origines de nos parents et de leurs familles, s'intéressant au parcours de chacun, que ce soit une tante, un cousin ou un neveu.

Jocelyne a toujours cherché à exprimer sa créativité, allant même jusqu'à utiliser les obstacles sur son chemin pour la développer encore davantage. Les restrictions financières, lorsqu'elles se présentaient, l'incitaient à mettre en œuvre toutes ses ressources intimes, ses talents, pour concevoir une solution originale et peu coûteuse dont elle tirait une grande satisfaction. Et puis pour elle, le temps ne comptait pas lorsqu'elle avait une idée en tête. Elle trouvait toujours le moyen de s'accorder les minutes, les heures nécessaires pour concrétiser un projet. Elle s'est ardemment cherchée à travers ses nombreuses activités créatrices. Des activités qui lui permettaient d'exprimer sa personnalité, mais surtout, je le comprends davantage maintenant, d'entrer en contact plus étroit avec ses forces intérieures. Artiste au plus profond d'elle-même, elle a déployé son talent et sa créativité dans l'aménagement de son environnement. Des objets faits à la main réchauffent chacune des pièces de la maison : vases en poterie ou céramique, peinture sur toile et petits points de tapisserie de ses jeunes années, confection de coussins, arrangements floraux. Elle s'attache aux objets pour leur beauté et on croirait qu'elle en ressent les vibrations. C'est ainsi que l'on peut faire avec elle le parcours de ses voyages ou de ses amitiés en appréciant les objets-souvenirs qui animent son décor.

Cette maison parle d'elle : chaque détail porte sa signature énergétique, le reflet de son âme. Cette âme, elle en a pris soin, elle en a sondé les profondeurs dans ce coin de méditation qu'elle chérit tant : des fenêtres tout autour, la vue sur ce petit lac sauvage visité par les hérons et les castors, la montagne et les oiseaux qui viennent la rencontrer. Une berceuse confortable en rotin, dont l'imprimé fleuri des coussins est assorti à la cantonnière de la fenêtre et aux chaises de la table à manger tout près, l'accueille quotidiennement. Une table à deux plateaux, également de rotin, reçoit son bouddha, ses violettes africaines, ses cactus, ses cartes d'anges et un petit bol de céramique, fait de ses mains, contenant du sel de mer. Une petite lampe y diffuse le soir venu une lumière tamisée. Sur une table basse à proximité, encadrés d'appuis-livres de marbre blanc, une profusion de volumes sélectionnés : dictionnaires, répertoires d'oiseaux, guides d'interprétation des rêves, son journal personnel, son agenda, mais surtout les nombreux bouquins qui nourrissent sa spiritualité au quotidien. À proximité, une lampe de sanctuaire, dont le support métallique or et argent joliment travaillé reçoit un lampion de verre rouge, sera allumée pour inviter la présence de la Lumière, dans les grands moments de réjouissance, de tristesse ou de prière. Suspendue en retrait de la fenêtre, une sculpture en bois, rapportée de Bali. Une femme ailée, un mortier et un pilon dans les mains, plane sur les lieux, tel un ange gardien. C'est son espace, son sanctuaire, c'est là que Jocelyne se recueille, qu'elle communie chaque matin avec sa Source.

Trois journées à profiter de ce merveilleux environnement, à jouir de la présence de ma sœur et de notre intimité qui se déploie sans entrave.

Une promenade en forêt. Nous empruntons derrière la maison un petit sentier débroussaillé par Martin. Le printemps nous offre une belle chaleur avec ce soleil qui hâte la fonte des neiges. Jocelyne me raconte sa forêt, la beauté des lieux, les ressources infinies qu'elle recèle. Aménager des sentiers, mettre en valeur le ruisseau, dégager le point de vue exceptionnel sur la chute d'eau qui dévale la montagne, les idées foisonnent dans sa tête. Notre marche vigoureuse nous transporte dans un état d'ouverture à l'abondance que la vie nous offre.

Jocelyne parle de son rêve qui prend forme : mettre sur pied, dans l'espace prévu à cet effet dès la construction de la maison, des ateliers pour aider les gens atteints du cancer. Les aménagements physiques seront complétés à l'automne et le concept des ateliers continue de se développer dans son esprit. Elle griffonne quelques notes au gré de ses intuitions en attendant de se mettre à plein temps dès cet automne dans la conception écrite du projet. L'idée germe dans son cœur depuis quatre ans, depuis qu'elle a été confrontée à cette maladie par le biais de Marc, son gendre. Alors que ses traitements de chimiothérapie sont en cours, elle lui offre support et conseils, au gré de leurs rencontres familiales. Puis, lorsque le cancer se pointe à nouveau après une brève rémission, Jocelyne entreprend auprès de Marc une démarche soutenue. Il ne s'agit plus de guérir momentanément, mais de faire les changements nécessaires pour assurer un mieux-être durable. Très fortement inspirée par sa récente formation auprès de Simonton, elle offre à Marc son livre *L'aventure d'une guérison** et l'accompagne dans la mise en œuvre du cheminement proposé. Elle l'aide à accepter sa maladie, à concevoir la chimiothérapie et la radiothérapie comme outils de guérison. Elle travaille avec lui sur la modification de certaines de ses croyances, le contrôle de ses peurs. Elle enregistre sur cassette les méditations proposées par Simonton et d'autres qu'elle crée pour les besoins spécifiques de son gendre. Elle fait connaître à Marc la visualisation, la méditation. S'y adonnant tous les jours, et même plusieurs fois par jour lors de son hospitalisation pour les traitements, il en retire bientôt de très grands bienfaits.

---

*   Simonton Dr Carl, et Henson, Reid, *L'aventure d'une guérison*, Belfond, 1993.

« Elle m'a ouvert l'esprit pour m'aider à apporter des changements dans ma vie, dira-t-il avec reconnaissance. Elle me connaissait. Jocelyne sentait bien les gens. Elle pouvait me pister pour m'aider à me découvrir. Elle m'a invité à découvrir ma propre spiritualité, à décider ce en quoi je voulais croire pour arriver à ma guérison. Elle m'a apporté une aide exceptionnelle, faite de don de soi et de respect. »

Jocelyne aime les gens, cela se sent. Son travail de psychothérapeute, conférencière et formatrice la sert à souhait. Intéressée par tout ce que la vie a à offrir, mais d'abord et avant tout par l'être humain, d'une curiosité insatiable, elle trouve facilement l'occasion d'établir un contact, une porte d'entrée qui lui permet ensuite d'aller dans l'univers intérieur de l'autre. Elle croit fermement à la capacité de l'être de recouvrer la santé en travaillant à la guérison de son âme. Ce qu'elle m'apprend au fil de nos échanges. Elle puise dans la nature une source d'enseignement propice à la guérison et veut faire de son refuge un centre d'aide aux personnes souffrant du cancer. Commencer d'abord par des ateliers au sous-sol de la maison, puis...

– Quand je vais au bout de mon rêve, je voudrais construire, sur l'autre versant de la montagne, un centre d'hébergement, de traitement, de soins parallèles, avec une équipe multidisciplinaire. J'ai même pensé que je pourrais y aménager un espace pour papa ou maman lorsque le temps viendrait pour eux de quitter la maison. Il y aurait des services sur place. Je serais à proximité.

Je songe à toutes ses compétences accumulées au fil des ans. Pendant des heures et des heures, elle s'est préparée à son travail de psychothérapeute, obtenant un niveau avancé de formation en programmation neurolinguistique et dans l'approche émotivo-rationnelle. Toujours en quête de connaissances, elle s'est enrichie de nombreuses autres formations, allant de l'antigymnastique au toucher thérapeutique, en passant par le Gi Gong. Elle s'est instruite auprès de grands maîtres de passage au Québec, tels Simonton et Sogyal Rinpoché. Elle s'est formée dans les techniques de mobilisation de la créativité, en musique, chant, danse balinaise et ballet-jazz, en poterie, haute-lisse et peinture. Avec de solides bases en alimentation et en cuisine et une large expérimentation, elle s'est initiée à la cuisine végétarienne. Et puis il y a ces innombrables lectures, ces discussions animées, tous ces ateliers auxquels elle s'est abreuvée, dans sa grande soif de savoir. Ces journées de solitude, pour passer de l'extérieur à l'intérieur. Ces voyages à Bali. Oui, ses acquis sont nombreux pour orchestrer un tel projet...

Le pont. Un petit pont de rondins grossièrement coupés enjambe le ruisseau traversant leur terre, leur petit domaine. Nous nous y attardons, nous n'avons pas le désir de le traverser mais simplement d'y être. Être bien ensemble, être au même diapason, être en harmonie avec notre Soi, être réceptives au message que la nature s'apprête à nous transmettre.

– Il en a coulé de l'eau sous les ponts depuis mon arrêt de travail, s'échappe de moi comme une vieille rengaine maintes fois entendue.

– Tu vois, Gaétane, l'eau s'écoule librement sous ce pont. N'essaie pas de la retenir. Représente-toi l'eau qui vient vers le pont comme ton futur. Cette eau qui se trouve en ce moment sous le pont, sois bien consciente que c'est ton présent. Une fois que l'eau se sera écoulée sous le pont, elle sera ton passé. Envisage ton futur avec confiance, regarde ton passé pour ce qu'il peut t'apprendre et avant tout, Gaétane, conjugue ta vie au présent. Vis ta vie dans le moment présent. *Reste sur le pont.*

Cette leçon me touche, elle s'est bien gravée en moi et son image se pointe à différentes occasions lorsque j'ai tendance à ne pas *être* sur le pont. Et la voilà qui me raconte comment elle a eu le désir de vivre, avec quelques amis et membres de sa famille, une marche en forêt à l'Action de grâces. Une promenade avec des arrêts où chacun peut lire et partager avec les autres les messages que la nature lui présente à ce moment-ci de sa vie, à cet endroit précis. Pour l'un, la variété des plantes et des arbres lui fait prendre conscience de l'abondance qu'il retrouve dans sa vie, pour l'autre, la croisée des chemins lui indique qu'il est temps de prendre une décision importante quant à la direction qu'il veut donner à son existence. Les feuilles multicolores rappellent à celle-là toutes les couleurs différentes que sa vie peut prendre pour lui permettre de créer son propre paysage. *La nature nous parle, ou est-ce notre âme qui nous parle si clairement à travers elle?*

Nous sommes toujours sur le pont. Nos sens sont en éveil, alertes au moindre signe. L'œil capte le lièvre qui court au loin, l'oreille entend les feuilles se balader au vent, le nez s'interroge sur cette odeur agréable mais indéfinissable, la main caresse ce bois rugueux sur lequel nous sommes assises. Un moment de recueillement. Que d'énergie en ces lieux! J'observe Jocelyne tendre les mains pour la capter et lui demande de m'enseigner. Avec elle je fais les gestes, je m'associe à son rituel. Je ne me rappelle pas les mots utilisés pour transmettre cette connaissance. Je ne me rappelle que l'état de bien-être qui s'est instillé en moi. Un état de paix totale, de reconnaissance pour les beautés de l'Univers. Je sens que je partage l'intimité de ma sœur; elle accepte de me livrer ses croyances profondes sur un sujet souvent abordé avec réserve quand on ne sait pas où se situe l'autre personne. À travers ses gestes simples, je perçois tout à coup toute une dimension de la vie de ma sœur à laquelle je ne m'étais jamais vraiment arrêtée: la spiritualité. Spiritualité qu'elle a développée en elle, à l'abri du regard des autres. Spiritualité qui explique maintenant certains changements profonds chez elle et l'énergie bienveillante qu'elle dégage et avec laquelle chacun de nous, parents, frères, sœurs, amis sommes venus en contact, au quotidien, tout simplement, à travers ses paroles, ses attitudes, ses gestes. Elle me parle de l'énergie qu'elle arrive à voir au-dessus de ses montagnes, consciente de ce que cette affirmation pourrait provoquer chez certaines personnes. Aujourd'hui j'aimerais qu'elle me dise comment en arriver là. J'aurais tellement de questions à lui poser sur le sujet.

2

« Repose-toi et ça ira mieux ensuite. » C'était sans connaître le mal qui l'accablait. À peine deux semaines depuis ce téléphone du 12 novembre. Le médecin s'interroge face aux résultats obtenus lors des récents tests qu'elle est allée passer. Il veut investiguer plus en profondeur et cela nécessite son hospitalisation dès le lendemain 25. Je ne m'inquiète pas outre mesure. Je me dis qu'enfin on va trouver l'origine de ce malaise à la poitrine qu'elle a depuis un moment déjà.

28 novembre. De son lit d'hôpital, Jocelyne m'apprend que les examens démontrent la présence d'eau et de deux petits nodules sur les poumons. Elle ne semble pas affolée par la nouvelle, mais plutôt soulagée en quelque sorte que l'on identifie enfin la cause de son mal. Nous convenons de conserver une attitude positive !

Début décembre, je fais un rêve dont j'aimerais grandement discuter avec ma sœur. Jocelyne était fascinée par ces images nocturnes et travaillait à les comprendre afin d'utiliser l'information fournie pour mieux saisir sa vie. Elle avait développé une excellente connaissance des processus qui y sont reliés. Acceptant de se laisser guider par son intuition, elle savait accompagner les gens dans l'analyse de leurs propres rêves. Nous aimions beaucoup parler de la signification des rêves. Je me suis laissé éclairer par elle à maintes reprises au cours des derniers mois, émerveillée par ce qu'apportaient dans ma vie ces messagers de la nuit. Ce matin je n'arrive pas à trouver le sens de ce rêve : je vois un cardinal rouge caché derrière des branchages dans un arbre. Je me rappelle alors qu'elle me disait souvent de me centrer sur les émotions rencontrées dans mon rêve. Je réalise en visualisant à nouveau mon rêve avoir ressenti un état de grand bien-être à la vue de ce très bel oiseau. Puis je me souviens de son admiration pour le cardinal. Tout de suite j'identifie ce rêve comme un heureux présage face à Jocelyne. J'ai hâte de pouvoir lui en glisser un mot.

2 décembre. Notre sœur Claudine séjourne au Mexique depuis la fin de l'été. Elle établit régulièrement le contact téléphonique avec notre mère pour avoir les nouvelles de la famille. Craignant d'ajouter à son niveau de stress, alors que sa famille vit une période d'adaptation à son nouveau milieu de vie, ma mère s'est abstenue de faire état du sérieux de la maladie de Jocelyne. Pour ma part, je suis très préoccupée par le fait que Claudine ne soit pas informée et je décide ce soir-là de remédier à cet état de fait, convaincue que Jocelyne approuvera ma démarche. Grâce à Internet, Claudine et moi entretenons dans les jours suivants un contact régulier qui lui permet de suivre l'évolution de la situation.

4 décembre. Aujourd'hui, au téléphone, Jocelyne m'apprend que l'intervention pratiquée sur elle hier pour retirer le liquide sur ses poumons s'est très bien passée. Aucune intervention n'a pu être pratiquée sur les nodules; ils sont trop petits. Une biopsie, prévue dans quelques jours, permettra d'obtenir des résultats. Elle vient de passer une très bonne nuit, ce qui ne lui était pas arrivé depuis fort longtemps.

– Le moral tient bon, me laisse-t-elle savoir.

5 décembre. Elle éprouve de la difficulté à me parler au téléphone en cette fin d'avant-midi. Je crains que mon désir de lui parler chaque jour, comme je le fais depuis le 28 novembre, ne soit trop fatigant pour elle. Je lui demande si je peux continuer à l'appeler ainsi pour prendre de ses nouvelles.

– Lâche-moi pas, Gaétane. Tiens-moi. J'ai besoin de tes encouragements. Continue de m'appeler chaque jour.

Je suis contente qu'elle compte sur moi. Me sentir utile atténue quelque peu le sentiment d'impuissance que je ressens face à son état.

– Ne t'inquiète pas, je suis avec toi. Je te parlerai à chaque jour.

7 décembre. Rejoint à la maison, Martin m'informe que les investigations effectuées ailleurs qu'au poumon ne démontrent aucune situation problématique ; c'est un excellent signe qui nous rassure. Par ailleurs, les nodules étant trop petits, l'hôpital ne possède pas les équipements nécessaires à la biopsie. L'intervention doit être pratiquée dans un autre centre hospitalier. Jocelyne sera transférée demain. Quant au liquide prélevé plus tôt cette semaine, il présente une anormalité qui, combinée aux nodules, laisse croire qu'il peut s'agir d'un cancer. J'absorbe le coup. *Il peut s'agir* d'un cancer. Donc rien n'est confirmé. Je décide de rester confiante.

– C'est très, très grave, madame, très, très grave. Le médecin n'arrêtait pas de me répéter ces mots-là. Je l'ai trouvé brusque avec moi. J'ai fini par lui dire que j'en avais assez de l'entendre me dire ça, que j'avais compris.

Qu'est-ce qu'elle avait compris, ma sœur, lorsqu'une heure plus tard, elle me raconte à son tour la visite de son médecin ? Ou plutôt qu'est-ce qu'elle veut que je comprenne ? Est-ce parce qu'elle-même ne veut pas encore le savoir ? Est-ce parce qu'elle veut délibérément me protéger ? A-t-elle décidé consciemment d'oublier momentanément le mot cancer alors que le médecin l'avise que de nouveaux examens dans un autre centre hospitalier sont nécessaires pour confirmer son diagnostic et voir quels sont les traitements possibles ? Est-ce pour détourner mon attention ou la sienne qu'elle dénonce avec colère l'attitude du médecin porteur de la mauvaise nouvelle ?

– Je ne vais pas me laisser abattre par ces paroles-là, conclut-elle.

Pour moi, c'est l'indice que ma sœur sait où elle s'en va. Elle est convaincue de pouvoir surmonter ses difficultés. Elle va prendre les choses en main. Je lui fais confiance.

Transférée dans un autre hôpital dès le lendemain, elle y subit les derniers tests, dont un prélèvement aux poumons. Les résultats ne seront disponibles que dans quelques jours.

Cette fin de semaine, mon mari et moi allons la visiter. Je suis sous le choc lorsque je la vois : très amortie par les médicaments, elle éprouve de la difficulté à rester éveillée.

– Dors, je reste là avec toi.

– T'es sûre que cela ne te dérange pas ? T'es venue pour me voir et je ne te parle même pas.

Elle se préoccupe de ne pas être impolie ! Elle semble surprise que je sois venue la voir ! Je la regarde, assise dans ce fauteuil d'hôpital, droguée par la médication reçue pour calmer sa douleur postopératoire. Je commence à comprendre que cela ne va vraiment pas. Les minutes sont longues alors que je veille sur elle. Je ne l'ai jamais vue dans cet état. Notre frère Frédéric, le cadet de la famille, arrive de Montréal. Nous montons la garde ensemble un moment sans l'éveiller, puis je quitte pour revenir plus tard. À son réveil, elle apprend de Frédéric qu'il est resté auprès d'elle durant son sommeil.

– Tu as fait ça ? Tu es resté ici deux heures même si je dormais ?

Il y a un tel étonnement, un tel bonheur dans ce questionnement. Elle ne se rend pas compte de ce qu'elle représente pour nous. Et nous avons encore si peu conscience de ce qu'elle représente effectivement pour nous.

Sur la route du retour en Outaouais, le ciel se fait extraordinairement captivant. Les nuages rosés se déploient à l'horizon avec une telle beauté. Le soleil encore haut dans le ciel se cache derrière ces formes mouvantes pour composer un tableau digne de Michel-Ange. Mon regard est fasciné par cette scène que je scrute pour y trouver, dans sa beauté même, le signe d'une bonne nouvelle que j'en attends. Qu'est-ce que je vois ? À travers une large ouverture dans les nuages, le ciel lumineux semble s'étendre aux profondeurs de l'univers. *Une porte s'est ouverte et appelle à aller vers sa Lumière. Jocelyne est attendue.* Ce que je déchiffre me terrifie, ne correspond pas à mes attentes. Je ne veux pas que Jocelyne franchisse cette porte. Je ne veux pas accepter ce décodage. Je décide d'interpréter ce ciel comme étant si beau qu'il ne peut que m'indiquer le signe de la guérison de ma sœur.

Le jour suivant, lundi, c'est elle qui m'appelle cette fois. Elle me parle d'une tumeur maligne, des deux nodules au poumon.

– Pas opérable, pas de traitement possible, lance-t-elle d'une voix qu'elle cherche à dénuer de toute émotion.

Installée à la table de la cuisine, je griffonne quelques mots sur le bloc-notes que je garde à ma portée. Je me sens tellement chamboulée lorsque je reçois de ses nouvelles que la seule façon pour moi d'enregistrer les données consiste à écrire les bribes d'information que je réussis à capter. Alors, je peux relire les mots que j'ai notés et tenter d'en assimiler la signification. «Pas opérable, pas de traitement possible.» Mon cerveau est au ralenti, il ne veut pas traiter cette information. Ma sœur me sort de ma torpeur.

– Même si c'était possible, je ne voudrais pas de chimiothérapie ou de radiothérapie. Je vais voir du côté de la médecine alternative.

La médecine alternative ! Une lueur d'espoir sur laquelle je décide de fixer toute mon attention.

Mardi. Je lui téléphone en avant-midi. Quelques semaines à peine depuis ses ateliers en Outaouais et nos discussions à la maison... Elle m'encourage à être confiante face à sa capacité de se sortir de cette situation, me demande de continuer à lui envoyer mon énergie positive. Elle est décidée à utiliser toutes ses énergies de façon constructive, y compris sa propre énergie de guérison. Car elle croit au pouvoir énergétique et cet enseignement dont j'ai bénéficié sur le pont n'était qu'une petite manifestation d'une croyance beaucoup plus élargie en l'énergie divine en chacun de nous.

– J'attends les résultats du dernier test cet après-midi, puis je sors d'ici.

J'ai toujours cru que ma famille – mes parents, mes frères et mes sœurs – était importante. Les réunions familiales pour les réjouissances de Noël et du Nouvel An ont toujours occupé un espace bien précis dans nos agendas. Nous avons célébré avec la famille élargie les vingt-cinq ans de mariage de nos parents. À l'occasion de leurs quarante ans de vie commune, une fête intime avec la famille et quelques amis compte encore parmi l'un des meilleurs moments dont on aime se souvenir. Le rappel de ces événements déclenche à chaque fois un fou rire général, Martin en ayant profité pour se faire passer pour le nouvel ami de ma sœur Claudine. Attifé d'une perruque sur sa tête chauve, personne ne le reconnaissait parmi les invités... Avec comme toile de fond l'humour et la reconnaissance, nous avions composé quelques chansons fort inspirantes, retraçant l'histoire de la vie de nos parents. La fête des quarante ans de Jocelyne a fourni l'occasion de commencer un rituel familial : chacun des membres, incluant beaux-frères et belles-sœurs, est fêté pour ses quarante ans. Un party surprise costumé, selon un thème cher au jubilaire, prend place avec son cortège de chansons en cadeau. Les soixante-cinq ans de maman, les soixante-dix ans de papa, les vingt-cinquièmes anniversaires de mariage ont été célébrés dans le même esprit de joie collective. Puis Jocelyne a eu cinquante ans et la fête a pris place à nouveau.

À chaque fois une occasion de réjouissances mémorables. Comme cette fois encore, cet été, pour souligner la retraite de Martin. Chacun se rappelle le *procès du retraité*. Et le fameux gâteau du traiteur sur lequel était inscrit « Bonne retraite seulement », ma sœur ayant indiqué qu'elle désirait une inscription avec les mots « Bonne retraite » *seulement*.

Jocelyne était souvent, avec ma sœur France, l'instigatrice de ces fêtes. Le sens de la fête fait partie d'elle. Autant famille qu'amis la connaissent comme étant celle qui sait mettre de la vie dans un party, surtout s'il s'agit d'un party costumé. Elle avait le sens du déguisement. Elle confectionnera elle-même son déguisement, que ce soit pour être la reine d'Angleterre, Jojo Savard, Dolly Parton la chanteuse country, ou bien une religieuse tout de noir vêtue. Ou simplement accoutrée de sa robe de chambre avec son masque aux concombres fraîchement coupés, appliqués sur le visage. Ses talents indéniables de couturière, de musicienne et sa créativité vont de pair pour ajouter à une rencontre familiale ou amicale ce brin de folie dans l'air qui jette l'étincelle pour allumer une fête. Elle était celle qui ne craignait pas le ridicule, en autant qu'elle réussissait à faire rire l'auditoire. Elle avait une voix qui nous permettait de chanter nos compositions en gardant à la fois la note et notre crédibilité...

Les conversations téléphoniques quotidiennes que j'ai avec Jocelyne depuis son hospitalisation m'incitent à mobiliser la famille. Je découvre que la force de la famille prend à nouveau tout son sens pour moi. Comme famille nous avons un lien sacré, insaisissable et pourtant bien réel malgré les personnalités et les valeurs différentes, les désaccords occasionnels, le manque d'échanges en profondeur. Ce lien sacré, c'est aujourd'hui que je sens le besoin qu'il se manifeste, comme il s'est exprimé à quelques rares occasions auparavant. Par exemple, lorsque nous nous sommes concertés pour soutenir nos parents face aux difficultés soulevées par la maladie de notre père. À ce moment-là, la famille s'est révélée à elle-même dans sa capacité de s'unir pour conserver son intégrité. Je vois la famille comme une petite communauté dont la responsabilité est de protéger ses membres, d'entourer de son amour un des siens lorsqu'il est en difficulté. Lorsque la vie de l'un des tiens est en danger, l'appartenance se manifeste comme jamais auparavant et t'incite à laisser tomber ta pudeur, tes préoccupations et tes malaises. Au risque de passer pour une « illuminée », pour une folle, je me mets à l'ordinateur et envoie à tous les membres de ma famille un texte pour orienter les pensées que nous avons envers Jocelyne dans le sens où elle-même chemine. Au risque de surprendre ou de déplaire, au risque de faire rire de moi, je mets mon cœur au bout des doigts et je le laisse parler. Je n'ai rien à perdre. Sauf ma sœur. Je me sens éloignée physiquement de Jocelyne en étant à plusieurs kilomètres de la région où elle habite, mais je me sens avec elle comme jamais auparavant.

* * *

À tous les membres de la famille
15 décembre
Objet : guérison de Jocelyne

J'ai parlé à Jocelyne ce matin et je l'ai trouvée toujours aussi confiante et déterminée à guérir. Elle se prépare à faire son plan d'action lorsqu'elle sera rentrée chez elle. Elle est sur le point de quitter l'hôpital aujourd'hui même. Je pense que nous avons intérêt à parler de guérison plutôt que de maladie. J'ai parlé avec mon amie dont le fils a survécu à une décharge de fusil. Tous les médecins lui disaient que son fils allait mourir. Elle a refusé de les croire et refusait d'avoir dans son entourage des gens qui n'étaient pas convaincus de sa guérison. De plus, elle disait aux gens qui n'étaient pas capables de le voir guéri de ne pas penser à lui. Ils ont travaillé beaucoup avec la visualisation du retour à la santé et une attitude positive. Je pense que nous avons tout à gagner avec une croyance qui nous permet d'envoyer à Jocelyne de l'énergie positive. J'ai parlé aussi ce matin à un gars qui avait huit tumeurs au poumon (trop petites pour être opérées), en plus d'un cancer de la peau, et qui avait été condamné par quatre médecins. Il est aujourd'hui bien vivant et ses radiographies sont vierges, toutes traces de cancer ayant disparu. La maladie existe, les miracles aussi! La médecine traditionnelle est une chose. Il y a aussi la médecine alternative et l'énergie divine que nous pouvons solliciter et qui se manifestera si nous y croyons suffisamment. Nous avons tout à gagner! Tous et toutes, envoyons à Jocelyne de cette énergie. Elle, de son côté, travaille fort en ce sens. Appuyons-la dans cette direction. C'est ce qu'elle attend de nous. Quand vous pensez à elle, à chaque jour, imaginez-la au sous-sol de sa maison en train de donner de la formation, pleine d'énergie, ayant retrouvé la santé, réalisant le projet pour lequel elle se prépare depuis longtemps. Le temps est précieux et c'est tout de suite que nous devons lui envoyer de la bonne énergie, dès aujourd'hui. Ayons confiance en sa capacité de faire pour elle les choses qui vont la ramener à la santé. C'est ce qu'elle attend de sa famille.

Gaétane xxooxx

*   *   *

Le diagnostic d'un cancer incurable, le mésothéliome, est confirmé quelques heures plus tard. Aucun traitement possible. Rien à faire sauf soulager la douleur. Il n'y aurait pas deux petits nodules, mais plusieurs petits. Jamais Jocelyne ne m'a parlé de cette possibilité du cancer de la plèvre, l'enveloppe du poumon, mais plutôt d'*un cancer*. Comme si cette généralisation rendait la chose plus abstraite, moins plausible. J'apprends que le médecin avait pourtant avancé ce diagnostic précis, il y a déjà huit jours. Ce jour où Jocelyne m'exprimait sa colère envers le médecin «qui n'arrêtait pas de me répéter: c'est très, très grave, madame, très, très grave». Maintenant je peux mieux comprendre toute cette agitation. Pour contrer la peur qui cherche à faire son chemin, pour remettre à plus tard, si vraiment il y a lieu, si le diagnostic se confirme. Pour remettre à plus tard la rencontre avec...

Mais maintenant qu'elle sait... Que se passe-t-il vraiment dans sa tête à ce moment-ci ? Elle est déjà pourtant très souffrante, les médicaments réussissent difficilement à contrôler sa douleur. Elle comprend bien les mots que le médecin a prononcés devant elle et son mari. Elle connaît bien cette maladie, le cancer, dans laquelle elle vient à peine d'accompagner une de ses amies vers la mort. Son corps, dont elle s'est faite la confidente discrète, reconnaît bien la douleur depuis un bon moment déjà. À l'annonce du verdict, elle remercie le médecin et quitte l'hôpital décidée à remonter la pente abrupte sur laquelle elle a glissé.

– Je n'ai plus de temps à perdre ici, laisse-t-elle tomber.

Noël arrive dans un peu plus d'une semaine. Noël est une grande fête pour Jocelyne. Rien de surprenant alors qu'à sa sortie d'hôpital elle insiste pour arrêter se procurer un sapin de Noël. Depuis toujours je me souviens d'elle cuisinant des desserts spéciaux qu'elle avait appris à préparer lors de son année de spécialisation culinaire à Montréal. Gâteaux aux fruits, couronne Saint-Honoré, bavaroise comptaient parmi ses spécialités. Elle avait dessiné, alors qu'elle habitait encore chez nos parents, la maquette pour trois anges qui seraient coupés dans du contreplaqué et installés debout derrière la crèche recevant l'Enfant-Jésus. Une fois mariée, elle avait fait reproduire le tout pour avoir ses propres anges. Noël dans sa nouvelle demeure, l'an passé, l'avait vue fort active au niveau du bricolage. Elle confectionna une somptueuse guirlande qui dévalait l'escalier du deuxième étage vers le salon et la salle à manger. Elle en était particulièrement fière, cette œuvre procurant une ambiance de réjouissances à la pièce. Une fois installée, elle fabriqua une couronne de trois pieds de diamètre pour orner la fenêtre triangulaire du toit cathédrale de la salle à manger. Les bougies de circonstance sont partout dans la maison, l'arbre trône au salon. Le congélateur est plein de tourtières, tartes variées, gâteaux, beignes et le reste. Par-dessus tout, Noël était pour elle l'occasion de joyeuses retrouvailles en famille. Leur nouvelle demeure permet de profiter du paysage exceptionnel qu'offrent le lac, la forêt et les montagnes environnantes, les activités de plein air y trouvant facilement leur place. Les conversations s'animaient autour de repas fastueux, l'humour étant toujours au rendez-vous. Voir son monde heureux autour d'elle la comblait. Car sous ses airs parfois détachés, Jocelyne était une mère poule. Quand son aînée Marie-Chantal manquait au rendez-vous des fêtes de Noël et du jour de l'An à cause de la distance à parcourir pour venir de l'Ouest, sa mère lui faisait parvenir, par courrier spécial, un assortiment des gâteries qu'elle avait cuisinées pour la famille. Cette année, il n'y a pas de tourtières au congélateur !

Marie-Chantal et son ami Harrison sont arrivés de Jasper, il y a quelques jours à peine, pour des vacances planifiées depuis un bon moment déjà. Vacances qui devaient leur permettre de vivre ensemble la période de Noël au Québec, de faire le tour des amies de ma nièce et renouer après une absence de plusieurs mois. Les visiteurs sont attendus avec impatience depuis un bon moment. C'était sans compter la maladie qui s'est déclarée. Marie-Chantal prend l'avion alors qu'elle vient d'apprendre que sa mère a un cancer que l'on qualifie d'incurable. Ce voyage commence à prendre un sens bien différent de celui qu'il avait au départ. Hélène, la seconde fille, habite la région avec son ami Marc. Ils passeront la majeure partie de leur temps à la maison familiale pour être au cœur de la rencontre annuelle. Quant à Benoît, le cadet, il est revenu cet automne d'un séjour de quelques mois dans l'Ouest et retrouve avec bonheur Valérie, son amie de cœur, à qui il consacre ses temps libres. La famille entière se retrouve donc autour de Martin et de Jocelyne pour son retour d'hôpital, à quelques jours de Noël.

Ce soir-là au téléphone avec elle, son attitude sereine ne se dément pas, bien qu'elle me dise se sentir fatiguée.

– Je fais tout ce que je peux pour guérir.

Le souper du retour s'est déroulé dans la joie des retrouvailles, dans la confiance que la période de Noël apportera tout le réconfort et l'aide nécessaires à sa guérison. Elle me raconte combien le repas fut agréable, avec de grands rires collectifs à profusion. D'un commun accord tacite, la famille a entrepris une thérapie par le rire qu'elle apprécie. Elle me confie comme elle est heureuse de retrouver tous les siens et à quel point ils sont gentils avec elle. L'appareil téléphonique est à peine raccroché que déjà un autre appel est en ligne.

– Je commence à penser comme vous : positif.

Cette déclaration de ma mère, très effrayée depuis le début de la maladie de Jocelyne, me réjouit et me rassure. Je suis si contente de ce changement d'attitude qui l'aidera à mieux vivre la situation actuelle et lui permettra de supporter sa fille dans sa démarche de retour à la santé. Elle me fait la lecture d'un texte qu'elle vient de trouver et qui l'encourage à croire en la guérison. Nous le ferons parvenir à Jocelyne.

16 décembre. Cette deuxième journée de retour à la maison, son refuge, est un feu roulant qui anesthésie provisoirement le mal. Le téléphone ne cesse de se faire entendre pour apporter les messages de soutien qui vont dans le sens d'une attitude de confiance en sa guérison. Car le réseau que Jocelyne a tissé autour d'elle est très grand et dès l'annonce du diagnostic il se met en branle pour la soutenir dans sa démarche vers le retour à la santé. Déjà, elle consigne dans son *Carnet de guérison* les informations qui lui arrivent de toutes parts concernant un médecin, un guérisseur, un médium, le jeûne, les régressions, une recette de traitement naturel... Elle reçoit le soutien bénévole de Robert et Guylaine qui lui prodigueront quotidiennement, en alternance, une aide énergétique. Lorsque je lui parle en soirée, elle me dit ressentir un bien-être physique et une grande paix intérieure suite à ces traitements. Elle m'affirme « travailler à tous les niveaux » pour trouver son chemin vers la guérison. Elle est plus enthousiaste que jamais.

– J'ai eu un appel de Denis à la suite des discussions que nous avons eues ensemble dernièrement. Il voulait me remercier de l'avoir aidé à comprendre une situation difficile.

Il me disait qu'il se sentait maintenant beaucoup mieux face à ce qu'il vivait. Je suis tellement contente que mon frère se soit donné la peine de m'appeler pour me dire cela. Je sens vraiment que toute la famille est avec moi. Cela me fait tellement de bien.

De mon côté, je me sentais fébrile. Je me rappelais avoir entendu des histoires vécues où les gens s'étaient tirés de la maladie grâce à leurs propres recherches, un peu en dépit des médecins qui disaient ne plus pouvoir rien faire pour le malade. Je me disais qu'il devait y avoir un moyen pour que Jocelyne se tire de là. Qu'il fallait chercher, être créative, trouver la piste qui nous amènerait à une solution à ce problème. Cela m'apparaissait naturel de penser ainsi parce que je me disais que Jocelyne ne lâcherait pas, qu'elle était prête à tout pour guérir. Elle avait une ouverture d'esprit face à toutes les approches de la santé. Avec elle, tous les espoirs étaient permis. Ma sœur n'était pas une lâcheuse. Elle avait une volonté et un appétit de vivre qui m'ont toujours fascinée. Appétit que je questionnais d'ailleurs parfois parce que j'avais le sentiment qu'elle brûlait la chandelle par les deux bouts. À quelques reprises déjà, ce thème faisait partie de nos discussions.

– Arrête-toi un peu, Jocelyne, t'es pas obligée de tout voir et de tout faire. Donne-toi un peu de temps pour te reposer.

– Ah, je le sais bien, mais il y a tellement de choses que je veux apprendre.

J'étais profondément convaincue que toute cette expérience que nous vivions avait un but, avait pour but de nous dépasser, de nous amener vers quelque chose d'autre, de nous permettre de trouver le meilleur en nous. Déjà, nos liens familiaux se tissaient plus serrés, nous avions tous conscience de l'urgence de la situation et pour tous elle était capitale. Nous devions faire nos devoirs. Jocelyne était le pilier de cette transformation, elle nous invitait à vivre cette expérience et nous en ressortirions tous grandis. Ayant depuis peu accès à Internet, je fais des recherches pour en savoir davantage sur le mésothéliome. Je découvre avec un pincement au cœur qu'il s'agit d'un cancer, d'une forme très rare et virulente, dont les chances de guérison sont bien minces mais tout de même existantes dans de rares cas. Je choisis de laisser le doute et la peur de côté. Je me concentre sur l'information positive. Un facteur important de guérison étant la volonté de vivre du patient, je me dis que Jocelyne a au moins ça de son bord. Il ressort également que la méditation peut être utilisée comme outil de guérison. Le site parle d'une femme médecin ayant survécu depuis presque dix ans à cette forme de cancer et utilisant cette approche. Encore là, Jocelyne se retrouve dans son élément. Je filtre l'information dans la mesure où, la sachant consciente de la gravité de son cas, je lui fais parvenir seulement les renseignements susceptibles d'avoir un impact positif sur sa guérison. Elle reçoit ces informations avec soulagement et confiance, elle me rappelle sa conviction profonde en sa capacité de s'en sortir.

*17 décembr*e. La guérison relèverait du miracle tant la maladie semble progresser rapidement dans la douleur. Pourtant est-ce que je peux faire autrement que d'essayer ? Est-ce que je peux faire autrement que de croire que tout est possible ? *Est-ce que je peux faire autrement ?* Est-ce que je peux accepter d'entendre que ma sœur va mourir et ne rien tenter pour la sauver ? Est-ce que je peux accepter de la laisser partir sans avoir pris le moindre risque ? Le risque de me tromper, le risque d'être déçue d'avoir espéré en vain ? Et si toute cette expérience de la maladie était l'occasion de révéler un miracle ? Et si cette souffrance était l'occasion pour ma sœur de nous faire *la* leçon de vie ? Elle ne peut pas mourir alors que nous ne sommes pas préparés à cela. Qu'est-ce que je peux faire ? Que nous reste-t-il comme moyens d'action quand les spécialistes disent qu'il n'y a rien à faire ? Demander la guérison. Orienter toutes les énergies disponibles vers la guérison. Mobiliser chaque membre de la famille vers la guérison de Jocelyne. Convaincre qu'elle peut le faire. Faire sortir Dieu du placard où certains l'ont remisé depuis un bon moment déjà. Demander à Dieu la guérison de notre sœur en formant une communauté de prières, en s'unissant à divers groupes pour prier pour elle.

* * *

À tous les membres de la famille
17 décembre
Objet : communauté de prières

Bonjour à tous. Comme certains d'entre vous, j'ai parlé à Jocelyne hier et elle est plus déterminée que jamais à guérir. Je viens de parler à une très bonne amie dont deux cancers ont été diagnostiqués en décembre l'an passé. « Il ne faut pas écouter les médecins, ils nous voient morts. » Elle a travaillé à se guérir en refusant la chimiothérapie qu'on lui proposait et en axant son énergie vers la pensée positive et l'énergie surnaturelle. Elle est toujours au travail et son énergie est très bonne. Jocelyne a la chance d'avoir le support de ses parents et de ses frères et sœurs. Cela la touche énormément et l'aide beaucoup. Elle est consciente que, par amour pour elle, vous êtes prêts à faire beaucoup, que vous la supportez dans la démarche qu'elle entreprend et dans la croyance en sa guérison.

L'énergie positive que nous lui envoyons est essentielle. En plus des prières que nous faisons déjà, j'aimerais que nous formions une communauté de prières pour elle. Je vous demande à chacun de contacter un groupe qui peut prier pour elle, un couvent de sœurs, une église... Les prières en espagnol sont aussi acceptées ! Faites-le ! Aujourd'hui même (ou demain matin s'il est trop tard). Faites-le vous-même si possible, puis téléphonez à Jocelyne pour lui dire que vous avez posé ce geste car vous croyez en sa guérison. Ce geste d'amour va créer un impact très positif chez elle.

Merci, Denis, de m'avoir parlé du carnet d'adresses de groupe. Chacun peut avoir une adresse « famille Groleau » et ainsi se communiquer les bonnes nouvelles ou les idées sur ce que nous pouvons faire pour aider Jocelyne. Cette période est cruciale selon moi parce que c'est le début de son plan d'action personnel pour guérir. Jocelyne fait très bien ses devoirs.

Allez-y, prenez le téléphone pour que nous formions une masse critique de personnes qui prient pour sa guérison.

Merci à chacun et bonne journée.

Gaétane xxooxx

* * *

– Non, je n'ai pas ouvert ton *e-mail*, me répond mon frère Frédéric.

– Et pourquoi donc?

– Parce que j'ai vu le titre de ton message. Je ne crois pas à ça, ces affaires-là.

Je lui aurais arraché les yeux pour qu'il y croit. Armée de toute la patience dont je me sentais capable par amour pour ma sœur, je me suis appliquée à tenter de créer une ouverture de sa part.

– Si tu n'y crois pas, tu ne te feras aucun mal en le faisant, mais si ça marche ces affaires-là, c'est la seule chose que tu peux faire pour elle, pour sa guérison. Demande-toi si tu peux faire quelque chose pour elle et fais ce qui te permettra d'être à l'aise avec tes croyances. Je respecte ta décision quoi que tu fasses.

Cela m'apparaissait inconcevable de refuser de demander l'aide de Dieu. Pour moi, c'était la chose la plus urgente à faire : contacter l'énergie divine pour l'appeler au secours de Jocelyne et dire à notre sœur que toute cette énergie en laquelle elle met son espoir sera dirigée vers elle. Pour moi et pour d'autres, qui déjà avaient entrepris leurs démarches, cette croyance au miracle était peut-être ce qui nous permettait de ne pas sombrer dans le désespoir ou même la révolte.

La famille et les amies joignent les intentions de guérison de Jocelyne à celles des groupes de prière au Québec autant qu'à Vancouver, au Mexique, ou même au Honduras grâce à un contact de Berthe, la « sœur-sœur » de Martin, comme il a l'habitude de l'appeler, ayant œuvré longtemps dans ce pays. Et puis il y a ce groupe de méditation auquel elle s'est jointe il y a un an. En avril dernier, lors de mon séjour chez elle, j'avais été étonnée d'apprendre qu'elle participait chaque semaine à ces rencontres ayant pour but de procurer à ses membres un temps privilégié de repos intérieur, mais aussi que ce groupe, autour duquel gravitaient une trentaine de personnes, s'était donné comme mission d'amener des énergies positives dans une région subissant de forts contrecoups économiques. À dix heures ce dimanche, son groupe amorce pour elle une médita-tion spéciale de guérison. Le mardi à dix-neuf heures, Jocelyne se joint dans sa méditation à deux groupes pour former un triangle de prières. Elle se montre enthousiasmée par l'énergie, les appels incessants qu'elle reçoit de toutes parts, réconfortée par ces manifestations d'affection à son égard, décidée à réaliser cette guérison, décidée à relever le défi que lui offre sa mala-die, le défi de sa vie.

Chacun de nous se sent interpellé par la maladie de Jocelyne et cherche une façon de la soulager. À la maladie s'ajoute le fardeau financier associé aux coûts d'hospitalisation, à la perte de revenu et aux nombreux médicaments que déjà Jocelyne doit absorber pour contrer la douleur et tenter de réduire les effets nocifs de la morphine sur son corps. Conscient du stress que peuvent engendrer les préoccupations financières, parce qu'il travaille dans ce domaine, mon frère Bernard dépose dans son compte de banque une somme importante qui lui permet de se libérer de ces soucis. Elle reçoit cette nouvelle avec une telle joie qu'elle ne respecte pas le silence qu'il lui a demandé au sujet de cette transaction. Ne plus se préoccuper d'argent est pour elle un véritable cadeau, mais plus que tout je sais que c'est l'amour qu'elle reconnaît dans ce geste qui la touche profondément. Car Jocelyne sait se laisser toucher. Elle a souvent accueilli notre tristesse et notre désarroi. Elle accueille maintenant notre amour pour ce qu'il est: désin-téressé, reconnaissant, généreux, guérisseur.

Faire de la relation d'aide était pour Jocelyne partie inté-grante de sa nature. Comme de nombreuses autres personnes, clients, membres de la famille élargie ou amis, j'ai pu bénéficier personnellement de son soutien. Jamais elle ne laissait passer une occasion d'aider. Chaque personne était importante pour elle. Parmi les nombreux appels, un ami téléphone pour lui souhaiter bonne chance et Jocelyne s'informe de la situation particulière de celui-ci. Voilà que ma sœur s'emballe devant les difficultés de son ami et se retrouve à nouveau dans son rôle d'aidante, déployant le peu d'énergie qu'elle a à vouloir remonter le moral de celui qui appelait pour la supporter. D'où vient cette énergie de guérisseur? Cette volonté de chercher en toutes circonstances à vouloir aider, améliorer la condition de celui ou celle qui se trouve devant elle. Est-ce sa façon de s'aider elle-même? Jocelyne était bien consciente que *le professeur enseigne ce qu'il a besoin d'apprendre*. Était-ce en pleine conscience qu'elle aidait pour s'aider elle-même à se transformer, pour s'enseigner les leçons de vie qu'elle devait apprendre? Je me rappelle l'entendre me raconter comment elle s'était sentie secouée lorsqu'une amie l'avait confrontée: «Tu prétends avoir réglé telle situation dans ta vie, tu conseilles les autres sur les moyens à prendre pour améliorer leur vie et pourtant, Jocelyne, tu parles encore de cette difficulté qui finalement n'est pas réglée dans ta propre vie.»

Elle était consciente qu'elle cheminait à petits pas, de plus en plus lucide face à son travail de transformation personnelle. Une leçon d'humilité que de reconnaître et accepter que nous ne produisons pas toujours les changements désirés dans notre vie aussi rapidement que nous le souhaiterions, et ce même si nous sommes thérapeute. Comment a-t-elle réagi à cette annonce de cancer alors qu'elle sait pertinemment que nous jouons un rôle important dans le développement de nos maladies, alors qu'elle connaît bien les composantes psychologiques de ce mal? Était-ce un échec de se retrouver dans ce contexte alors que toute sa vie elle s'est intéressée aux facteurs psychosomatiques de la maladie, travaillant sur elle-même pour établir dans son corps un état de santé qui lui faisait défaut et accompagnant les autres dans leur détresse. Je ne me rappelle aucun moment où elle a entrevu cet état comme l'échec de sa vie. Je sais, et les jours ultérieurs me l'ont confirmé, qu'elle voyait sa maladie dans une dimension plus élargie que le plan terrestre. Quel est le plan de match sur lequel elle travaille alors que nous nous affairons à tenter l'impossible, à implorer Dieu de garder parmi nous un être qui nous est si cher?

Bientôt pourtant les appels doivent être notés, Jocelyne n'arrive plus à se reposer et surtout la douleur la tient en état d'alerte continuel. La maisonnée découvre rapidement avec stupeur l'état de leur mère qui requiert des soins constants: une médication régulière et complexe qui doit s'ajuster aux besoins de Jocelyne selon sa douleur, un milieu calme qui lui permette de se reposer, une alimentation spécifique réduite au minimum, des bouillottes chaudes pour les pieds et de la glace pour soulager la cage thoracique, de l'aide pour se déplacer, une installation soigneusement adaptée pour qu'elle trouve le confort dans un fauteuil ou dans son lit. Chacun fait de son mieux pour apporter sa contribution, se partageant les responsabilités selon ses talents naturels, sa capacité à faire face à cette situation extraordinaire qui l'interpelle si intensément. Comment gérer la peine qui s'infiltre sournoisement devant un état de fait où chacun se sent dépassé par les événements? Devant l'attitude de Jocelyne face à la maladie, le mot d'ordre est de conserver un état d'esprit serein qui favorise chez elle l'utilisation de toutes ses ressources personnelles. La peine sera vécue en toute discrétion et même déguisée en entrain pour maintenir un climat de confiance. Chacun des membres de ce groupe familial possède un sens de l'humour que l'on reconnaît rapidement à les côtoyer. À ce moment, c'est l'énergie de la survie qui les rend capables de conserver cet humour. Surmonter sa peine pour permettre à l'autre de continuer avec courage ne demande-t-il pas beaucoup de renoncement et d'amour?

Jocelyne doit maintenant utiliser son énergie pour se centrer sur elle-même avant tout. Elle ne veut pas livrer de combat contre la maladie, elle veut «harmoniser» son corps, me dit-elle. Il faut dire que cette femme est une battante, une femme de défi, une femme de grande envergure, une femme habituée à se dépasser, à mettre toute son énergie sur une cause en laquelle elle croit, une femme qui ne laisse pas tomber facilement, une femme engagée, une femme passionnée qui a appris à aller au bout de ses rêves.

Comme celui de se construire cette maison en pleine nature. Comme celui d'aller à Bali dans le contexte d'une formation en programmation neurolinguistique. D'abord seule en 1990, puis avec Martin en 1991 alors qu'elle le convainc d'aller avec elle partager ses découvertes. À cette époque, ma sœur et moi vivions ce que l'on appelle communément une chicane, qui nous a séparées, coupées de notre affection l'une pour l'autre pendant près de cinq ans. Que de temps perdu, gaspillé à jamais ! Nous nous voyions et nous parlions dans les rencontres familiales, mais il n'y avait plus cet empressement à aller l'une vers l'autre, à nous faire des confidences. L'une comme l'autre étions sur la retenue suite à une situation qui nous avait confrontées dans nos valeurs et nos perceptions, l'échange verbal nous ayant laissées toutes deux dans une grande souffrance par rapport à l'autre. Éloignées physiquement par nos lieux de résidence, chacune étant convaincue que l'autre était allée trop loin, blessées dans notre orgueil et dans notre cœur, nous gardions nos distances pour ne pas trop souffrir. Ne pas trop s'impliquer par rapport à l'autre, à ce qu'elle vit, ignorer le vide laissé par l'amitié qui s'est retirée si abruptement. Nous en étions là lorsqu'elle a entrepris ses voyages à Bali. C'est donc à distance que j'ai eu accès à ses retours de voyage. J'étais à l'écoute lorsqu'elle en parlait en famille, mais je me suis privée d'un tel bagage d'information que j'aurais pu recevoir, que j'aurais apprécié recevoir. Mais je ne faisais pas *le pas* nécessaire à une véritable réconciliation.

Bali a été, je crois, à l'origine d'une grande transformation intérieure chez elle. Une grande aventure. Un point tournant dans sa vie. Elle expérimente un mode de vie très différent qui la ramène aux valeurs de base. Elle entre en contact plus étroit avec la philosophie bouddhiste et accède à d'autres niveaux de communication. Une femme décidée à aller au bout de ses rêves, de son rêve de se rapprocher de ce qu'il y a de plus vrai en elle, de ce qu'il y a de plus fondamental. Je pense que c'est le motif véritable de ses voyages à Bali. Bali et la maison sous les arbres, un seul et même rêve : accéder à un espace de paix profonde.

Réaliser ses rêves malgré les embûches, malgré la santé qui fait signe à l'occasion de s'arrêter. Elle n'en est pas à son premier signe ! Elle en a eu des avertissements tout au long de sa vie, des périodes d'arrêt pour permettre à son corps de reprendre ses forces. Puis elle repartait de plus belle, infatigable, avec une énergie que nous ne comprenions pas, toujours avide d'en savoir plus, de faire une expérience nouvelle, de comprendre davantage, de vivre davantage. La dernière mise en garde remonte à cette pneumonie il y a trois ans à peine, peu après l'arrivée dans la nouvelle demeure. Depuis, son rythme de vie a changé. C'est plus que cela, c'est quelque chose en elle qui a changé. Cela se sent, cela se palpe. Une énergie différente s'est installée en elle. Une énergie tranquille, une énergie qui invite à la retraite intérieure, à la méditation, à la contemplation, à la paix.

Cette fois le signe est urgent, puissant et incontournable. Il demande toute son attention et n'accepte aucun report. Elle comprend bien le message. Elle mobilisera son énergie sur ce grand projet : vaincre la maladie qui s'est emparée de son être.

À travers mes recherches sur Internet, je découvre, sans toutefois trouver plus de détails, qu'une approche alternative en médecine préconise le traitement par les champignons. À deux ou trois reprises cette information me revient à la mémoire, comme un rappel, comme s'il s'agissait d'une information capitale. Information avec laquelle je ne sais pas quoi faire ni en quoi elle est significative jusqu'à ce que surgisse à ma mémoire le rêve qu'elle avait fait lors de son séjour à l'hôpital et qu'elle m'avait raconté, qu'elle avait interprété comme un indice que la maladie allait la quitter. Sur son poumon, elle voit des champignons noirs qui ont séché et qui partent en fine poussière par un tube qui sort de son corps. En faisant l'association de son rêve avec l'information fournie sur Internet, je suis emballée, je sens que nous sommes sur une piste. Il y avait quelque chose sur les champignons que je devais apprendre de plus. Je fais quelques tentatives pour poursuivre ma recherche. Cela ne me mène nulle part. Comment trouver le chaînon manquant? Qui contacter pour m'éclairer à ce sujet? Grace! J'ai rendez-vous avec elle demain! Depuis plusieurs années déjà je consulte un centre de médecine alternative en ce qui a trait à ma santé et celle de ma famille. Nous avons grandement bénéficié de l'expertise et du dévouement de ses professionnels. Je suis convaincue que Grace pourra me renseigner à ce sujet.

Je reste bien assise sur ma chaise mais pourtant je voudrais sauter de joie lorsque je l'entends me dire:

– Nous utilisons des champignons chinois pour traiter le système immunitaire et réduire les tumeurs cancéreuses.

– Oui, je suis convaincue, moi aussi, que cette information n'arrive pas pour rien, me confirme Jocelyne au bout du fil dès mon retour du centre.

Les coïncidences significatives! Son expérience intime l'a amenée à y croire. Elle décide de faire le voyage en Outaouais pour rencontrer Grace. Ce qui implique quatre heures d'auto au mois de décembre. Ce qui implique surtout de sortir de chez elle alors qu'elle est très souffrante. Elle n'hésite pas, elle veut faire ce voyage et utiliser cette chance qui lui est offerte. Ma sœur France tient à l'accompagner, en dépit du fait que la conduite automobile en cette saison lui pèse lourd! Bien qu'elle se permette rarement de laisser son travail, autant parce qu'elle aime le contact avec ses jeunes élèves que parce qu'elle prend à cœur son rôle d'enseignante, France décide qu'elle se libérera de son travail pour accompagner Jocelyne.

Quelques jours plus tard, elles entreprennent donc toutes deux de faire ce déplacement. Voyage pénible. La route est glissante en cette journée du 19 décembre, elle paraît interminable autant pour la conductrice que pour la malade, que la médication ne suffit pas à calmer. Jocelyne est très souffrante mais en parle peu. Seuls ses besoins exprimés permettent à peine de déceler la profondeur de son mal. Elle se sent inconfortable, faible, utilisant la glace pour contrer sa douleur au poumon. Un mal de cœur continu l'assaillant, elle demande d'immobiliser le véhicule le long de la route, se soulage de son mal et remonte dans l'auto sans laisser passer la moindre plainte. À partir de ce jour, ma sœur France a toujours dit que Jocelyne était « une sainte », se demandant comment elle pouvait être aussi forte face à ce mal.

Je suis particulièrement contente de revoir Jocelyne, de me sentir en sa présence. Notre dernière rencontre remonte à ma visite à l'hôpital il y a un peu plus d'une semaine. La rencontre au centre de médecine alternative se révèle positive. Il y a de l'espoir ! En autant que le temps lui laisse le temps d'agir, en autant qu'il ne soit pas déjà trop tard, en autant qu'elle ait le courage et la volonté de continuer, en autant... Je sens bien que la maladie est très avancée, je vois bien que son corps suit difficilement. Et pourtant ! J'espère le miracle. J'y crois, j'ai besoin d'y croire.

Je reçois mes sœurs à la maison. Une occasion de réjouissances en soi, si ce n'était de la maladie de Jocelyne. Le repas ne passe pas. À peine y touche-t-elle pour faire honneur à ma cuisine. Très tôt elle demande à se préparer pour la nuit, l'énergie lui faisant défaut pour jaser avec nous en ce début de soirée. Ma sœur France et moi tentons de l'installer confortablement. D'abord la glace au niveau de la cage thoracique. Depuis son retour d'hôpital, les sacs de glace font partie de ses outils pour la soulager. Jocelyne n'arrive pas à trouver de position qui n'accentue pas son mal : toute pression au niveau de la cage thoracique lui est difficilement supportable. La posture de son corps dans le lit est un facteur décisif de son confort. Nous tentons d'ajuster dans son dos et sous sa tête les oreillers qui lui permettront d'être alitée, sans ressentir de douleur. Cette tâche est ingrate car nous n'arrivons pas à vraiment répondre à ses besoins. J'avoue m'être sentie impatiente et impuissante devant cette insatisfaction. Ce sentiment d'impatience est difficile à accepter, je suis mal à l'aise avec lui. Après avoir sondé en moi son origine, je réalise qu'à sa source, il y a l'idée que ma sœur me demande trop, qu'elle devrait pouvoir se satisfaire des efforts que nous faisons depuis presque une heure, que nous en avons assez fait, que ça commence à être un caprice peut-être. Mais voilà, ce ne sont pas nos efforts qui vont la soulager, c'est la position exacte qui lui permettra de ne pas accentuer la pression qu'elle ressent sur son poumon. Comment suis-je arrivée à penser que c'était un caprice ? Parce que j'ignore à quel point elle se sent mal à l'aise de demander de l'aide, parce que je ne connais pas cette douleur et parce que ma propre fatigue prend le dessus. À bout de ressources pour la soulager, je lui offre de faire avec elle de la visualisation. Je sais que c'est une technique qui lui est familière et cela lui permettra de se centrer sur autre chose que la douleur. La visualisation l'apaise suffisamment pour la faire entrer tout doucement dans un état de somnolence, la médication aidant aussi probablement à ce stade. La nuit sera brève et le sommeil léger.

Jocelyne a toujours eu un sens de l'humour très développé et il suffisait de peu pour qu'elle trouve prétexte à rire. Assise à la table de la cuisine après son petit-déjeuner, elle s'apprête à prendre ses médicaments dans la dosette, cette petite boîte à compartiments multiples. Elle qui a toujours détesté tout médicament à part les produits naturels ou homéopathiques, elle recule encore cette fois à l'idée de prendre cette morphine qui pourtant soulage son mal, répliquant du même souffle qu'elle a pourtant intérêt à accueillir cette médication pour favoriser son effet. Elle se dit alors qu'elle pourrait percevoir ces pilules autrement. Faisant du pouce sur son idée, je demande à mes filles de lui apporter leurs albums de timbres et de vignettes autocollantes afin que Jocelyne puisse y choisir des images stimulantes. L'idée fait son chemin et voilà qu'elle rigole avec des bleuets qui remplacent la morphine, un ange pour l'anti-inflammatoire ou encore un cardinal pour faire oublier la nature de la petite pilule qui se cache derrière. Sa boîte se couvre bientôt d'illustrations, étoile, chat, fleur, papillon, note de musique qu'elle choisit avec le plus grand intérêt, en fonction de chaque médicament, comme s'il y allait de la réussite même du traitement. Elle nous surprend par son audace lorsqu'elle choisit un timbre postal de la reine pour l'associer au traitement de ses problèmes de constipation causés par certaines drogues. Elle n'a pas perdu le sens de l'humour!

Mes sœurs quitteront aujourd'hui pour retourner chez elles. Une de nos belles-sœurs ayant composé pour Jocelyne un petit conte de Noël, ma sœur accepte ma proposition de le faire parvenir par courrier électronique aux autres membres de la famille. Je lui offre l'occasion d'y joindre un message personnel, ce qu'elle accepte. Nous nous installons à l'ordinateur et j'écris le message qu'elle me dicte, choisissant ses mots avec soin, vérifiant mon orthographe, fidèle à elle-même dans son désir de bien faire les choses. Elle se fatigue rapidement et je l'arrête dans son souhait de faire quelque modification supplémentaire au texte.

– Ça suffit le perfectionnisme, c'est assez beau comme ça!

Et le message part rejoindre chacun des membres de la famille.

* * *

20 décembre
Meilleurs souhaits à tous pour Noël!

Je vous fais parvenir un petit conte de Noël bien spécial que m'a composé Lyne, comme vous le savez tous, poétesse à ses heures... Comme son petit conte m'a bien touché le cœur j'avais le goût de le partager avec vous et surtout que vous puissiez en profiter et vous en nourrir.

J'en profite pour vous remercier tous du support que vous m'apportez chacun à votre manière dans cette épreuve qui constitue pour moi un défi et une aventure remplis de difficultés, et en même temps d'occasions extraordinaires de dépassement personnel et d'amour que je ressens à travers l'aide que vous m'apportez.

Merci encore une fois pour cet amour et ce support qui me donnent le courage de passer au travers et de me diriger vers la guérison et le retour à la santé. Nous aurons tous l'occasion de nous retrouver dans le temps des fêtes et je souhaite de tout cœur que nous saurons partager plaisir et bonne humeur à travers peut-être quelques petits moments difficiles à vivre. Je continue de compter sur vous.

Je vous embrasse xxooxx

Jocelyne

* * *

Les préparatifs sonnent l'heure du départ. Ma sœur se déplace avec difficulté, le moindre mouvement lui demandant un grand effort.

– Ça me gêne un peu de te le demander, mais irais-tu me chercher un verre d'eau?

Je suis estomaquée, car elle est sérieuse! Elle se sent mal à l'aise de ne pas faire elle-même ce qu'elle pourrait faire, bien qu'avec difficulté. Je l'exhorte à se sentir à l'aise de demander, lui disant que nous comprenions sa situation et qu'elle n'avait pas à s'en imposer davantage. C'est à ce moment-là, je crois, que j'ai décidé qu'elle n'aurait plus à me demander ; j'allais être à l'écoute de ses besoins et surtout comprendre qu'une demande de sa part n'était certainement pas un caprice.

– J'aimerais m'arrêter quelques minutes avant de partir.

Les rayons du soleil se faufilent dans la pièce, l'inondant d'une belle lumière douce. Assise sur la causeuse du salon, Jocelyne médite. Si je ne la savais pas gravement malade, je l'aurais crue dans un état de bien-être profond !

3

Noël arrive dans quelques jours. Historiquement, nous alternons entre ma famille et celle de Gabriel, mon conjoint, pour célébrer Noël chez l'une et le jour de l'An chez l'autre. Cette année, nous serons chez mes beaux-parents pour Noël. L'idée de ne pas voir ma sœur avant le jour de l'An ne me sourit guère. Je me sens très loin et je voudrais être près d'elle.

Noël arrive dans quelques jours. *Je voudrais être près d'elle.* Mes contacts réguliers avec la famille me permettent de constater le degré de difficulté que représente la situation actuelle. L'idée de ne pas aller avec Gabriel et les enfants chez mes beaux-parents m'effleure l'esprit mais je me résous finalement à faire ce voyage tout en m'accordant deux journées chez ma sœur. Je me sens tout de même hésitante à m'inviter, ne sachant trop si *matante* ne sera pas perçue comme un peu dérangeante. La maison est remplie à capacité et je ne veux pas empiéter sur le territoire qui n'est pas le mien. Jocelyne est ma sœur, elle est aussi la mère, l'épouse et la belle-mère de tout ce monde et je ne veux pas arriver comme un cheveu sur la soupe !

L'invitation est bien reçue, je dirais même avec empressement car le quotidien est difficile à vivre. Hélène et Marc m'offrent de m'installer dans leur chambre et s'accommodent avec gentillesse d'un matelas aménagé au sous-sol. Bien vite je découvre à mon tour que les soins requis pour assurer à Jocelyne un minimum de confort sont de plus en plus exigeants. Changer régulièrement les sacs de glace pour maintenir le froid sur la cage thoracique près du poumon et sur l'épaule, suivre rigoureusement la médication homéopathique en souhaitant que les effets du traitement de la maladie se fassent bientôt sentir, répondre à ses besoins en alimentation et en hydratation, garder la chaleur constamment sur ses pieds alors que le reste du corps souhaite la fraîcheur, ajuster les coussins ou les oreillers pour qu'elle trouve une position confortable dans un fauteuil ou dans son lit, tenter de contrôler la douleur en bougeant doucement les aiguilles d'acupuncture fixées à ses oreilles ou en augmentant si nécessaire les entredoses de morphine selon les recommandations du médecin.

Malgré tout, Jocelyne garde un sens de l'humour qui se manifeste alors qu'on s'y attend le moins. Comme lorsque, alitée et souffrante, elle demande une entredose de morphine.

– Veux-tu m'apporter *neuf laudines*?

Devant mon regard perplexe, Marie-Chantal, qui a pris en charge le suivi de la médication, m'explique que sa mère fait référence au nom de Laudine, une aide-ménagère ayant déjà assisté maman avec la famille, et que la morphine porte le nom de Dilaudid (dix Laudine). Pourtant, notre sentiment d'impuissance face à la souffrance de Jocelyne gagne du terrain. Une présence bienveillante auprès de celle qu'on aime est requise, jour et nuit. Que faire d'autre pour la soulager quand tout le reste n'y parvient pas?

Ce matin Jocelyne se tire de son lit dans lequel elle n'arrive plus à trouver le moindre confort.

– J'ai mal au cœur de voir toutes ces décorations. Tu ne pourrais pas placer la guirlande mieux que ça? Ce n'est pas la place de l'ange. Cette couronne-là ne va pas là, il me semble.

Elle ne paraît trouver aucun stimulant dans cet environnement qui pourtant la comblait il n'y a pas si longtemps.

– Et ce laminage que j'ai vu traîner au pied de l'escalier?

À la suggestion de Marc, son gendre, et en dépit de la réticence de Jocelyne, «c'est gênant de faire agrandir ainsi une photo de moi», Martin avait fait faire ce bel agrandissement de trente-six centimètres par cinquante. Le ciel de juin est d'un bleu clair et intense. Dans son pantalon jaune et son veston azur,

Jocelyne est assise sur une grosse roche qui la porte comme si elle dominait les montagnes Rocheuses enneigées derrière elle. La tête au-dessus du seul nuage en vue, elle rayonne d'avoir réussi, malgré le fait qu'elle se sentait souvent à bout de souffle, à atteindre le sommet de cette montagne. Elle prend la pose fièrement et demande à Martin de conserver sur pellicule le souvenir de cette victoire. Une photo stimulante, pour l'aider à se voir au-dessus de ses affaires ! Sans tarder, Marc l'accroche au mur près de la fenêtre, selon le désir de Jocelyne, dans son coin de méditation.

Son énergie demeure très basse. Elle a mal, très mal, et ne se sent plus la capacité d'agir sur ses souffrances. Devant ma sœur si démunie, il me vient à l'esprit nos conversations et expérimentations sur l'autoguérison, notre capacité de nous soulager de la douleur et même de guérir en agissant directement sur notre corps. Je me rappelle en particulier cette journée d'avril, lors de ce mémorable séjour chez elle, alors que j'allais prendre la route pour rentrer chez moi. Elle m'avait enseigné à visualiser que je massais le nœud qui me faisait souffrir, sur un muscle à la hauteur de l'omoplate, y concentrant toute mon attention, demandant à l'énergie divine de guérison en moi de se joindre à moi pour agir sur ce muscle et le ramener dans une position de confort. En retournant chez moi durant les quatre heures de route qu'a duré mon voyage, j'ai visualisé ce nœud des dizaines de fois, à chaque fois que j'étais consciente de l'inconfort qu'il me procurait. Je ne l'ai plus jamais refait par la suite, constatant quelques semaines plus tard que ce nœud m'avait quitté ce jour-là.

Espérant l'amener à une certaine détente, je lui propose de la guider dans une visualisation. Le soleil entre avec ardeur par les fenêtres qui encadrent son espace favori, son coin de méditation. Nous l'aidons à s'installer avec le plus de confort possible. Je l'emmène faire une marche à travers sa forêt qu'elle aime tant, prendre contact avec les oiseaux, les arbres et le vent, le ciel lumineux et le sol odorant, se reposer dans le hamac qui l'attend et goûter avec délice les bienfaits du soleil sur son corps. Quel bonheur de la voir dans une paix totale, sommeillant, respirant calmement, nourrie de l'intérieur par des images bien-faisantes qui envoient au corps le message de lâcher prise, de s'abandonner au moment présent en toute confiance. Cette visualisation nous envoie le signal que nous ne sommes pas à bout de ressources comme nous le pensions. Jocelyne réagit bien à la visualisation. Elle me confiera à son réveil l'avoir uti-lisée maintes fois depuis le déclenchement de sa maladie, mais elle n'arrive plus à travailler seule avec la visualisation, étant trop prise par la douleur ou l'inconfort. Elle déplore ne plus se sentir capable de lire et manque ses textes de méditation quo-tidienne qui l'aideraient à se ressourcer, à se recentrer. Je com-prends son besoin et du même coup la détresse qui petit à petit s'installe en elle. Au moment où son besoin est le plus impératif, elle se retrouve tenue à l'écart de ce qui l'alimentait quoti-diennement, de ses outils thérapeutiques de base. Pour remé-dier à cette situation, nous nous affairons à établir ensemble un plan d'action pour soutenir sa démarche. Un petit aide-mémoire à partager avec la famille en favorisera la mise en œuvre.

MES OUTILS DE GUÉRISON

- Repos
- Douleur : respirations contrôlées, parler aux cellules, accueillir la morphine, marcher pour faciliter la digestion
- Attitudes : abandon, lâcher-prise, confiance ; tourner mon regard vers moi, lâcher prise à l'extérieur
- Médication : accueillir par le rire
- Relaxation : trois fois par jour
- Toucher guérisseur : trois fois par jour
- Journal personnel
- Dessiner ma perception de la maladie
- Aménager mon espace propre
- Coucher : visualisation (textes sélectionnés au besoin), affir-mation tirée d'une carte d'ange

Marc s'engage à lire des textes sur la guérison à un moment propice dans la journée, Martin prend la responsabilité de la visualisation au coucher. Chaque matin, elle avait l'habitude de choisir parmi ses cartes d'ange l'information qu'elle avait besoin de recevoir pour la journée. Dorénavant, lorsque Marie-Chantal lui apportera ses médicaments du matin, elle pourra consulter ses anges.

Profitant de ce moment de confort chez elle, je décide de lui remettre un petit cadeau que j'ai acheté avec l'intention délibérée de conjurer le sort: *L'agenda 1999 des gagnants*. En espérant que celui-ci la transporte jusqu'à l'aube de l'an deux mille! Elle le feuillette, prend quelques instants pour lire l'une ou l'autre des citations en tête de page de chaque jour et j'en arrive à penser, en regardant son air songeur, qu'elle se demande si elle pourra parcourir ces journées, ces semaines, ces mois. Était-ce vraiment une bonne idée de lui offrir cet agenda? Puis elle pointe du doigt une pensée pour m'inviter à la découvrir: «Quel est l'âge idéal pour entreprendre une carrière ou opter pour une autre? L'âge que vous avez actuellement.» (David J. Schwartz*) Nous échangeons un regard complice. Elle vient de me donner la réplique face à mon désir de changer d'orientation professionnelle et les craintes que j'ai, compte tenu de mon âge. Un sujet que nous avons à quelques reprises abordé ensemble!

À peine un an plus tard, alors que je commence l'écriture de ce livre, puis-je vraiment penser qu'il s'agissait là d'un simple effet du hasard? J'ose croire que j'ai reçu sur mon chemin tous les encouragements nécessaires pour me tracer une nouvelle voie et j'en ai pris bonne note.

Ce soir, c'est moi qui la borderai pour la nuit. C'est l'occasion d'un échange comme nous n'en avons pas eu depuis un bon moment déjà. J'écoute, je la laisse exprimer de vieilles douleurs qui resurgissent, telle une plainte de l'âme. Puis elle

---

* Sinclair, Céline, *Agenda des gagnants 1999*, Montréal, Utilis, 1998, lundi 4 janvier.

raconte l'intensité, l'authenticité de ses échanges avec Benoît à son retour de l'Ouest canadien cet automne. Son bonheur de constater l'ouverture de son fils à la dimension spirituelle dans sa vie. Je l'entends ensuite dans son désir que je l'accompagne jusqu'aux portes du sommeil. Je lui fais la lecture d'un texte sur la guérison tiré de *Un instant, une pensée**. Ce livre, sa bible, c'est elle-même qui me l'a mis entre les mains l'hiver dernier. Je m'en suis fait un compagnon quotidien qui m'a ouvert de nombreuses portes intérieures. Tout doucement je l'endors en lui répétant à voix basse le message que l'ange lui a livré plus tôt. Message qu'elle accueille avec soulagement : abandon, lâcher-prise, détachement, abandon, lâcher-prise, détachement, abandon... D'un geste convenu de la main, je saurai que je peux quitter la pièce.

Au réveil le lendemain, le petit plan d'action que nous avons mis en place paraît porter fruits. Ma sœur semble remonter la pente, je la sens ragaillardie. Elle trouve son confort plus facilement, se déplace plus aisément, semble à nouveau décidée à agir sur sa guérison alors qu'à mon arrivée j'avais l'impression qu'elle se laissait porter par la maladie. L'heure du départ approche pour moi. Elle veut me dire quelques mots en privé.

– Tu m'as sauvé la vie, je ne savais plus où je m'en allais.

Ces mots sont restés bien gravés dans ma mémoire : sauver la vie. Nous en étions là. J'espérais que c'était ce que nous réussirions à faire, ce que nous étions tous en train de faire, chacun à sa façon, avec ce que nous étions, avec l'amour que nous avions pour elle et qui nous guidait. « Tu m'as sauvé la vie. » Si seulement j'en avais eu le pouvoir, Jocelyne ! Je soulevais les montagnes que je voyais et que j'étais capable de soulever, mais Ce pouvoir ne m'appartenait pas et je le savais bien. À qui appartenait-il, en fait ? À toi, Jocelyne ? À Dieu ? À nous tous ensemble qui pouvions implorer le ciel en ta faveur ?

---

*   Gawain, Shakti, *Un instant, une pensée pour chaque jour*, Barret-Le-Bas, Éditions Le Souffle d'or, collection Chrysalide, 1988.

Nous sommes le 24 décembre. J'avais oublié! J'étais ici ce même jour l'an passé. Répondant à l'invitation que m'avait lancée ma sœur de venir souper chez elle en famille avant le traditionnel réveillon chez nos parents. Arrivés tôt en après-midi, nous avions pu profiter de cette belle journée d'hiver grâce à Martin, aidé de Marc et Benoît, qui avait aménagé un large anneau de glace sur le lac gelé. Jocelyne et moi y pratiquions notre sport favori lorsque nous sommes ensemble: parler, se raconter, tenter de se mettre à jour dans nos découvertes. Une belle promenade qui nous tenait le cœur au chaud...

Je quitte aujourd'hui pour accompagner Gabriel et les enfants dans ma belle-famille. Le cœur n'y est pas. Je ne me sens pas à ma place loin de Jocelyne. Mes contacts téléphoniques quotidiens ne sont guère réconfortants. Je reste sereine malgré tout. Je crois en cette guérison, je veux y croire. Je partage cette conviction à qui veut bien m'entendre. Mais qui veut m'entendre? Je ne comprends pas ce qui se passe. Tout le monde sait pourtant que ma sœur est très malade. Pourquoi est-ce que peu de personnes m'en parlent? J'ai bien senti toute l'empathie de mes beaux-parents à mon arrivée, mais quant à la plupart des autres, on fait comme s'il n'y avait rien. On semble ignorer cette souffrance et cet espoir que je vis. Longtemps après ces événements, j'ai compris, en fait j'ai appris de ces personnes mêmes, que la mort fait peur, que parler des personnes confrontées à la mort soulève trop d'émotions, risque de faire souffrir la personne que l'on voudrait pouvoir réconforter, alors on ne dit rien. On se dit qu'il vaut mieux la laisser penser à autre chose, ne pas lui rappeler cette souffrance. On se dit que l'autre sait bien que l'on comprend sa souffrance et qu'elle apprécie sûrement qu'on la laisse tranquille. J'ai compris alors que certaines personnes vivaient peut-être ainsi leur peine. Et pourtant, ce qui me nourrissait, moi, ce qui me réconfortait, c'était d'en parler, de dire à quel point j'étais confiante en la guérison de ma sœur. J'aurais voulu que les gens lui envoient une énergie positive de guérison. Comme je le faisais à chaque fois que je pensais à elle, que je refusais de me laisser aller au désespoir.

Cette nuit de Noël à l'église, le message du prêtre me rejoint au plus profond de mon être.

– La nuit de Noël, les miracles existent. Demandez.

Je le demande intensément, avec toute la ferveur dont je me sais capable. Je demeure convaincue que toute cette mise en scène de la maladie de Jocelyne a pour but de nous éveiller à la puissance divine en chacun de nous et à ses manifestations. Je demeure convaincue que toute cette expérience se terminera de façon positive, ce qui veut dire le retour de ma sœur à la santé.

27 décembre. Nous avons l'habitude de faire une pause famille – Gabriel, Anne, Ève et moi – entre la fête de Noël et celle du jour de l'An, en retournant passer quelques jours à la maison. Cela nous permet un bref moment d'intimité en famille, que nous apprécions tous grandement. Cette fois, Gabriel et les filles reviennent comme prévu à la maison. De mon côté, je retourne chez ma sœur pour quelques jours. Je suis contente de la retrouver et, cette fois, je ne crains pas de me sentir de trop. Marie-Chantal et Hélène me laissent clairement comprendre qu'elles apprécient ce soutien que je leur donne autant à elles qu'à leur mère, et tous les autres se montrent très cordiaux avec moi. Martin, en charge de la médication et des soins auprès de Jocelyne la nuit, commence à ressentir vivement la fatigue d'être réveillé aux demi-heures. Il est soulagé que la famille soit épaulée dans les soins à être dispensés. Bien que mon attention soit centrée sur Jocelyne, j'apprivoise petit à petit ces gendres que je connaissais peu et surtout mes nièces et mon neveu desquels je m'étais éloignée depuis déjà plusieurs années sans même en prendre conscience. Je suis surprise de constater que la famille connaît bien ma relation à Jocelyne, les liens qui nous unissent.

J'arrive en après-midi. Les filles sont à cuisiner le souper qui réunira cette fois toute la maisonnée. Cette période des fêtes étant propice aux réunions entre amis autant qu'aux rencontres familiales, les invitations chez l'un et chez l'autre dispersent la famille à l'occasion. Ce soir, tout le monde est là et on croirait presque que le bonheur est au rendez-vous. Il y a dans l'air le goût du plaisir, le désir de se frotter aux uns et aux autres par les taquineries, les plaisanteries aux dépens de l'ami de Marie-Chantal qui comprend peu le français, le besoin de rire en famille, le besoin de sentir la famille toute proche de soi. Même le chien et le chat ont senti le besoin de se rapprocher, lovés l'un dans l'autre sur le tapis à côté de la berceuse. Jocelyne se fait complice à sa façon par des sourires entendus, des regards qui en auraient long à raconter.

Elle vient de faire sa toilette avec l'aide de son mari. Ses cheveux la gênent depuis quelque temps alors qu'elle éprouve plus de difficultés à les coiffer rapidement en y enroulant un élastique pour remonter ensuite la couette tout autour. J'accepte de lui couper les cheveux, ce que je n'ai jamais fait pour elle auparavant. Elle possède une belle chevelure châtaine dans laquelle s'est infiltré ces dernières années un gris argenté, qu'elle dissimule habituellement, et qui pointe actuellement comme pour rendre justice à son âge. Cinquante-trois ans. Ma sœur a seulement six ans de différence avec moi et pourtant je l'ai toujours perçue comme *ma grande sœur*. Cela fait drôle de dire cela alors que nous sommes toutes deux dans la maturité de nos vies. Pourtant, j'ai toujours considéré qu'elle avait une bonne longueur d'avance sur moi à plusieurs niveaux. Elle était celle qui me faisait découvrir les choses en les entreprenant elle-même comme pour m'en donner le goût par la suite. Ses questionnements se répercutaient sur moi au fil de nos échanges. Son goût d'apprendre était si fort qu'elle avait effectivement quelque chose de nouveau à me transmettre à chacune de nos rencontres. À travers sa propre recherche, j'apprenais moi aussi la culture, la relation d'aide, les travaux manuels, la cuisine, les approches santé pour le corps, la rencontre de l'âme.

Quand j'étais plus jeune, vers l'âge de 14 ans, j'étais le *chaperon* de service durant la période de ses fréquentations avec Martin. Je pense que mes liens se sont tissés à partir de ce moment-là car j'ai peu de souvenirs avant cette période, sinon celui d'une grande sœur à qui nous rendions la vie difficile lorsqu'elle nous gardait. Chaperonner voulait dire être envoyée sur commande par ma mère au salon lorsqu'elle estimait que l'heure de départ du prétendant était arrivée ou encore parce qu'elle désirait tout simplement que j'aille y faire un tour pour *voir ce qui se passe*. Je n'aimais pas beaucoup arriver en intruse, aussi j'annonçais ma présence à partir du corridor ! Par contre, ce rôle officieux de chaperon me permit de développer une certaine complicité avec eux et c'est de bon cœur qu'ils m'invitaient à participer à certaines de leurs sorties. Je me rappelle m'être laissée guider par eux dans mes premières excursions en ski de fond, de grandioses soirées de randonnées en motoneige au clair de lune, à travers des forêts enneigées, immaculées ; de ma première, et dernière, partie de pêche au poulamon sur la glace ; de ces fins de soirée bénies alors que Jocelyne servait ses délicieuses et odorantes tartes toutes chaudes, cuisinées avec amour dans la journée, annonçant ainsi le départ prochain de notre invité.

Une complicité qui aujourd'hui encore se manifeste alors que je lui coupe les cheveux. Mes lectures de la dernière année m'ont enseigné qu'être présent à ce que l'on fait, y porter toute son attention, dans le moindre geste quotidien, est une forme de prière. Cette coupe de cheveux est une prière. J'ai la pleine conscience du moment présent, de chacun de mes mouvements, de la signification du geste que je fais. J'aime toucher ses cheveux fins et souples qui tombent sur ses épaules avec une légère ondulation. Je les caresse comme étant une partie d'elle-même.

– Fais ça vite. Je suis fatiguée.

Elle s'appuie la tête au mur longeant la chaise où elle a pris place. Un signal de détresse qui ne passe pas inaperçu. Je dois faire vite car elle ne tiendra pas le coup. Les ciseaux travaillent un peu au hasard dans l'abondante chevelure pour raccourcir la longueur, mais surtout alléger le fardeau sur sa tête. Je sèche ses cheveux, légèrement... La position assise sur cette chaise droite est très inconfortable pour elle. Elle doit s'allonger.

Après une pause dans son lit, elle s'avance à la cuisine et elle rôde quelques instants autour de la table où la famille commence à s'installer pour le repas. Est-ce ici que commence son détachement? Elle qui aime tant les plaisirs de la table, elle perçoit les odeurs avec tant de puissance qu'elle en a mal au cœur. La vue des aliments lui fait détourner les yeux. Elle aimerait pouvoir manger et apprécier la nourriture mais l'appétit n'est pas là et le dégoût l'emporte sur le plaisir escompté. Son seul plaisir sera d'apprécier un petit Danone ou une portion d'Ensure à saveur de fruit. Alors, elle le déguste comme s'il s'agissait d'un mets très recherché qui la comble. Comme lorsqu'elle prenait plaisir, en compagnie de Martin, à savourer à la petite cuillère le jus tout juste extrait d'un mélange de fruits frais. Une façon bien à eux de goûter le moment présent. Une bonne discussion animée avec les gens qu'elle aime constitue pour Jocelyne l'autre plaisir associé à la table. Elle en a vécu de ces moments. Fine cuisinière et hôtesse qui aime recevoir, elle en a réuni des gens à sa table. Tous ceux qui les ont côtoyés, elle et son mari, ont sans aucun doute été accueillis au moins une fois pour un simple goûter ou un mémorable repas. Recevoir à sa table est une activité intime, et Jocelyne recherchait cette intimité avec les gens qu'elle rencontrait. C'était pour elle une occasion privilégiée d'apprendre de l'intérieur. Se détacher des plaisirs de la table, de ce plaisir de manger, de ce plaisir de discuter, d'entrer en contact intime par la parole et les rires partagés: le commencement d'un processus...

28 décembre. Aujourd'hui s'annonce une journée bien spéciale. Jocelyne rencontre un médium réputé au Québec et à l'étranger. Cette femme ayant écrit quelques livres concernant son autoguérison d'une maladie grave et la canalisation avec laquelle elle travaille, Jocelyne avait le goût d'explorer cette avenue de guérison lorsque je lui ai soumis le projet dès sa sortie d'hôpital. Elle est emballée par l'idée. «Ses livres m'ont marquée. J'ai le goût d'aller voir. J'aimerais ça comprendre pourquoi je vis cette maladie et ce que je peux faire pour en sortir.»

Un premier rendez-vous a été annulé le 23 décembre parce qu'elle se sentait incapable de se déplacer à Montréal pour l'occasion. Ce matin, elle est hésitante. Elle ne sait plus si elle doit faire ce voyage. Elle n'obtiendra pas de guérison instantanée, elle le sait bien. Il s'agit d'une démarche, d'une étape et elle se sent si faible en ce moment. Pourquoi alors devrait-elle participer à cette rencontre ? Quelle motivation profonde, quelle attente secrète pourrait la décider à se déplacer aujourd'hui alors que son corps la supplie de le dorloter, de faire taire toute autre demande. Tiraillée par la décision à prendre, elle sollicite notre avis. Nous ne voulons pas prendre position, conscients que le choix doit venir d'elle, de l'importance qu'*elle* attache à cette rencontre, conscients de toute l'énergie qu'*elle* devra dépenser pour mener à terme cette activité. Tout ce que nous pouvons faire, c'est l'assurer que les dispositions sont prises pour effectuer le voyage. Notre frère Denis, soucieux de lui assurer le meilleur confort possible dans les circonstances, est déjà en route pour mettre son véhicule à sa disposition. Les médicaments et les sacs de glace qui la suivent partout sont prêts. Tel que nous en avions convenu, je suis toujours volontaire pour l'accompagner.

Lorsque l'heure ultime du départ approche, Jocelyne nous annonce finalement qu'elle fera le voyage. Qu'est-ce qui force ainsi sa décision ? Qu'est-ce qui se passe dans sa tête alors pour accepter d'entreprendre deux heures de route en dépit de sa condition contraignante ? Son choix toutefois ne me surprend pas, connaissant les ressources personnelles intérieures dont elle dispose et cette soif de connaître qui l'a toujours caractérisée.

Elle somnole tout au long du trajet. Je suis contente ; au moins la douleur lui laisse un peu de répit. En plein cœur de Montréal, dans un secteur que je ne connais pas, c'est elle qui me guide, nous conduisant à bon port à travers ces rues à sens unique envahies par les piétons et les automobilistes. Devant cet achalandage, je prie le ciel de trouver un stationnement à proximité de notre lieu de rendez-vous ! La chance, à moins que ce ne soit le ciel, est avec nous : un parcomètre juste en face de l'adresse recherchée se libère à notre arrivée. La rencontre est au troisième étage! La sentant un peu découragée devant ce défi, je me demande si elle pourra s'y rendre. Son souffle est court et fuyant, elle s'arrête de temps à autre pour le retrouver.

Enfin nous y voilà. L'accueil est bref, mais bienveillant. Je n'ai pas prévu assister à la rencontre. En aucun moment, il n'en a été question entre Jocelyne et moi.

– Ma sœur peut être présente?

Je me retrouve donc avec Jocelyne, toutes deux assises sur un canapé, devant cette femme flanquée de deux autres personnes qui ont l'air d'être ses gardes du corps, sans toutefois en avoir vraiment le profil, et dont je ne comprends absolument pas le rôle à ses côtés. Je ne connais pratiquement rien du déroulement d'une rencontre avec un médium. Pour le moment, je dois avouer que je suis un peu sceptique. C'est bien moi qui ai parlé du projet à Jocelyne, influencée par une bonne amie m'ayant fait le récit des bienfaits d'une telle rencontre dans son propre processus d'autoguérison du cancer. Mais maintenant je ne sais plus, je ne sais trop à quoi m'en tenir, je suis dans l'inconnu total. Et peut-être dans la peur! De m'être trompée, du résultat de cette entrevue. J'observe cette femme que nous sommes venues rencontrer et qui se prépare à *communiquer avec un esprit*. Assise dans ce fauteuil devant nous, elle n'a rien d'une hurluberlue. Elle dégage la simplicité et l'harmonie intérieure. Seul le grand châle blanc dans lequel elle s'enveloppe confère un décorum à l'entretien. Une bougie blanche allumée et déposée sur le sol invite à accueillir la Lumière, une musique instrumentale en sourdine crée l'intimité nécessaire à ce rendez-vous qui sort de l'ordinaire. J'observe ma sœur: coiffée à la hâte, en gilet et pantalon de coton ouaté, sans maquillage, à visage découvert pour ainsi dire. Je réalise que c'est bien la première fois que je la vois se présenter ainsi à l'extérieur de chez elle; elle, une femme fière qui a toujours pris un très grand soin de sa personne, de son apparence. Je prends conscience que maintenant seul l'essentiel compte à ses yeux. Et ses yeux sont de plus en plus ceux de son âme, il me semble.

Un grand bâillement se fait entendre, puis la parole jaillit, nous surprenant dans notre attente.

– *Nous sommes arrivé parmi vous. Nous saluons les âmes ici présentes. Nous saluons en vous le maître. Bienvenue dans notre vibration, vibration de la Source Divine.*

Après quelques mots de présentation permettant de nous identifier auprès de *cette voix*, l'entretien débute.

– *Lorsque l'âme choisit de s'incarner, l'âme sait que la vie sur la planète Terre n'est qu'un voyage, un passage. L'âme en s'incarnant sait qu'elle est ici sur la planète pour un temps précis, terrestre, et certes ce temps peut être changé selon le choix de l'âme, selon le choix de ses guides ou selon l'appel d'autres âmes. Ainsi l'âme s'incarne et rencontre la densité de la planète Terre. Dans cette densité qui existe sur la planète existent maintes vibrations. L'âme choisit de rencontrer ces vibrations et de vivre l'expérience de son incarnation. Cette expérience est vécue par l'âme dans le non-jugement. Et cette expérience est reçue par les guides et par la Source Divine, appelée Dieu, dans le non-jugement. L'âme peut choisir pour évoluer de vivre une maladie. Certes les humains jugent la maladie. Car l'humain, l'âme incarnée, qui juge la maladie, qui juge la mort ou qui juge toute autre forme de vibration possède cette capacité de rapetisser le regard sur les choses. Toutefois la maladie, le passage que vous appelez la mort, ou d'autres phénomènes vécus par l'âme et nous pourrions dire les accidents, ou nous pourrions dire des opérations ou peu importe sont toujours des outils d'évolution pour l'âme, la personnalité, l'ego. Si l'ego est transparent à l'âme, l'ego saisit que la maladie est un outil d'évolution. Si l'ego est édifié, si l'ego réside dans l'orgueil, dans un édifice, une structure rigide, l'ego juge la maladie, disant que la maladie appartient à ce qui est faible. Et l'ego dans sa forteresse de verre ne peut point voir les bienfaits que la maladie, que l'expression de symptômes, de malaises qui se reflètent dans le corps… l'ego édifié ne peut point voir que ceci sert. Et nous disons, ceci est regrettable. Car toute forme d'expression vécue par l'enveloppe physique est un outil d'évolution pour l'âme et pour la personnalité. Certes vous pourriez nous dire : il existe maintes outils d'évolution et certains vont évoluer en épousant une autre âme et vont évoluer à travers le mariage. D'autres vont évoluer à travers la naissance à un enfant.*

Ce que nous tentons de vous dire : tout sert l'évolution de l'âme. Toutefois nous le répétons, (pour l'ego, cette vision peut être reçue par l'ego,) ceci exige que l'ego soit transparent.

J'écoute, fascinée par *cette voix* venue d'ailleurs, par ce message auquel je ne m'attendais pas. Ces paroles m'amènent bien au-delà de la maladie de ma sœur. L'existence de l'âme. L'évolution de l'âme. La maladie comme outil d'évolution. La vie sur terre, un voyage, un passage. Nous communiquons, grâce à une canalisation effectuée par cette femme qui a développé son potentiel à cet effet, avec une entité appelée l'archange Michaël. L'esprit sceptique qui m'habitait dans les premières minutes de l'entrevue s'est dissipé car le message entendu me rejoint profondément. Tout comme je sais qu'il est entièrement reçu par Jocelyne. Par notre présence, notre réceptivité à ces propos, Jocelyne et moi acceptons de considérer sa maladie sous un autre angle. Où cela va-t-il nous mener ? Où cela va-t-il la mener, elle ? Je n'en sais rien personnellement.

– *Vous pouvez commencer le questionnement.*

Tout au long de cette rencontre inoubliable, mon regard et mes pensées alternent entre ma sœur et cette femme médium. J'écoute ma sœur s'investir pour sonder les profondeurs de son être, à la recherche d'une compréhension, d'une guérison. La fouille dure une heure. Une heure pendant laquelle j'ai le privilège d'être au cœur des pensées les plus secrètes de ma sœur, au cœur d'une discussion intime entre elle et une entité de Lumière dont je commence à percevoir la réelle présence. Qui d'autre qu'un être de Lumière, à qui Jocelyne exprimait qu'elle avait eu une vie très active, aurait pu l'interrompre, arborant alors un large et généreux sourire, pour spécifier «*fort active*», comme si la vie de ma sœur se déroulait devant ses yeux ? Allant même jusqu'à lui parler de «*ce désir d'être constamment dans l'action, au détriment de votre personne*». Qui d'autre qu'un être de Lumière pouvait laisser transparaître cette *connaissance* de Jocelyne jusque dans les replis les plus secrets de son âme ? Qui d'autre qu'un être de Lumière aurait pu lui révéler cette information sur elle-même qui confirmait ce qu'elle savait en son âme profonde, mais n'avait jamais osé discuter avec qui que ce soit? Je suis fascinée par les informations dévoilées, l'enseignement livré par l'archange. Je suis témoin de cet échange à ciel ouvert, nos deux mondes se rejoignant sans entrave. Je perçois l'intensité et la vérité de cette interaction. Je peux sentir à quel point ma sœur se sent interpellée par les messages qu'elle reçoit. La discussion est à ce point intime entre Jocelyne et l'archange que je perds le fil conducteur de leur conversation. J'entends bien tout ce qui se dit mais je n'arrive pas à faire certains liens. J'ai l'impression de ne pas posséder certaines données nécessaires, comme s'il manquait des pièces à mon casse-tête.

Curieusement, bien que je sois complètement absorbée par cet entretien, seules quelques bribes précises d'information se fixent dans ma mémoire.

«Vous êtes profondément accompagnée.»

«Ne vous laissez point impressionner.»

«Centrez-vous sur vous.»

Des paroles qui me rassurent. Je me sens baignée dans une atmosphère qui m'invite au plus grand respect face à ce tête-à-tête. Je suis ici pour accompagner ma sœur, mais je sens bien que je suis ici aussi pour moi, pour apprendre quelque chose de particulier. Quoi donc? Je ne le saurai, ne le comprendrai que plus tard.

L'entretien terminé, le corps de Jocelyne s'exprime à nouveau et elle avale l'entredose de morphine qui lui permettra de garder un certain contrôle sur ses douleurs. De retour à l'auto, Jocelyne ne cherche pas à dissimuler sa fatigue. Nous prenons le temps de reprendre contact avant de démarrer. J'en profite pour vérifier auprès de ma sœur ce que faisaient ces personnes assises de chaque côté du médium.

– Ce sont des enracineurs. Ils aident le médium à absorber toute cette charge énergétique qui descend sur elle.

Je ne suis pas certaine de bien comprendre...

– J'ai vu la Lumière entrer, laisse échapper ma sœur alors que j'en suis encore aux *enracineur*s.

– Qu'est-ce que tu dis ?

– J'ai vu la Lumière arriver dans le corps du médium quand l'archange a annoncé son arrivée.

Je me rappelle alors cette fois où elle me disait, sur un ton de confidence, consciente que ses propos auraient pu déranger certaines personnes dans leurs certitudes de ce qui est réel et ce qui ne l'est pas, percevoir l'énergie au-dessus de ses montagnes... Je n'ai rien vu, évidemment ! Je n'ai pas développé cette aptitude, que nous sommes censés tous avoir, à percevoir l'énergie présente partout autour de nous. Je n'ai pas vu cette énergie lumineuse, mais je ne doute pas de ce qu'elle dit avoir vu. *Jocelyne a vu cette Lumière* et c'est peut-être ce qui la rendait si respectueuse, dans une attitude que je n'avais jamais observée chez elle auparavant. *La voix* était celle d'un sage : assurée et chaleureuse et, comme ma sœur me le fait remarquer, d'une tonalité différente de celle de cette femme, le médium, qui devient l'instrument par lequel l'esprit communique. Durant toute la durée de notre échange cette femme a gardé les yeux fermés et ses mains, rapprochées au niveau du cœur, semblaient tenir un objet précieux, s'y accrocher. Pour ma part, j'ai ressenti qu'un *Être* d'une grande bonté et d'une étonnante clairvoyance s'exprimait à travers le corps de cette femme.

En pièces détachées, nous évoquons très brièvement certaines informations recueillies. J'ai le goût de savoir comment Jocelyne perçoit l'information qui lui a été donnée, connaître ce qu'elle a l'intention de faire de tout ça, bien saisir tous les enseignements de cette rencontre.

– Si tu veux, nous en reparlerons une autre fois, j'ai besoin de repenser à tout ça toute seule.

J'aimerais bien au contraire en parler. Mais voilà, je le vois bien, elle est épuisée et je n'ai d'autre choix que de respecter son silence, tout en me remémorant certains éléments de cette rencontre. Il devient impératif de rentrer à la maison dans les meilleurs délais. Elle arrive difficilement à supporter ce corps qui lui parle sans arrêt. Le trajet du retour se fait dans le silence...et la réflexion.

– Je ne sais pas ce dont j'ai le plus envie : manger ou me coucher.

Les deux sont urgents : elle sent la faim pour une rare fois et en même temps elle est exténuée et n'aspire qu'à se coucher et dormir, si possible. Cette fois je choisis : nous ferons un arrêt rapide à Trois-Rivières pour manger, car il reste encore près d'une heure de route et la faim la tenaille. Elle insiste pour aller au restaurant bien que des membres de la famille habitent cette ville.

– Je suis trop fatiguée, je ne veux plus parler et je sais que je le ferai si je vais dans la famille.

Au restaurant, la tête dans ses mains posées sur la table, elle profite du répit. Puis elle avale de peine un bol de bouillon. L'arrêt est bref, mais il me permet de me restaurer moi aussi. La lassitude se pointe aussi dans mon corps et j'ai hâte de rentrer. La neige fine qui tombe depuis un moment ralentit notre route, le voyage nous paraît à toutes deux interminable. Enfin arrivées !

– Je voudrais faire une petite marche dehors avant de rentrer.

– T'es sûre de ça ?

– Oui, oui, l'air frais va me faire du bien.

Je me demande encore avec quelle énergie elle arrive à marcher dans la neige sur près de soixante-quinze mètres pour ensuite rebrousser chemin vers la maison.

– C'est un beau cadeau que tu m'as fait en m'invitant à assister à ta rencontre avec l'archange.

– C'est pour ça que je l'ai fait, me confie-t-elle avec un sourire en coin.

Aussitôt entrée chez elle, après quelques brèves paroles disant à sa famille qu'elle était satisfaite de son voyage, elle s'installe pour essayer de se reposer. Le sommeil ne vient pas, la douleur, elle, se fait entendre encore une fois. À l'improviste Frédéric arrive pour la voir. Peut-être parce qu'il est le plus jeune de la famille, peut-être parce qu'il sait qu'il sera toujours bien accueilli, il est fidèle à son habitude d'arriver sans prévenir. Nous lui disons qu'elle tente désespérément de trouver le sommeil après cette journée exténuante; on ne sait pas s'il pourra la voir. À l'annonce du visiteur, la voilà prête à sortir du lit.

– Je veux voir Frédéric.

Elle se retrouve au salon à l'embrasser et à lui dire comme elle est contente de sa visite. Assise sur la causeuse, elle participe à la discussion avec la maisonnée qui s'est rassemblée, y allant de quelques blagues, entretenant son gendre anglophone dans son meilleur anglais, qui a toujours été tout de même assez sommaire! Je croirais rêver. Est-ce bien cette femme que j'ai vue il y a moins d'une heure complètement épuisée? Où prend-elle cette énergie? Je ne m'explique pas ce regain de vie.

29 décembre. Le lendemain matin, la maison est tranquille. Jocelyne a encouragé son monde à prendre l'air, désireuse de se soustraire au va-et-vient qui lui tourne parfois la tête. Nous sommes seules. Elle se sent relativement confortable. La conversation avec l'archange ayant été enregistrée sur cassette, Jocelyne désire l'écouter à nouveau pour bien saisir l'information et prendre action face aux recommandations émises. Elle s'apprête à retranscrire dans son journal personnel certains passages. À l'endos de la page couverture de ce journal, une feuille de chêne est précieusement conservée avec cette annotation: «J'ai trouvé un chêne au bout de ma terre... Feuille de chêne ramassée sur "l'autre terre", site du futur emplacement de mon projet d'aide aux personnes souffrant de cancer... 6 octobre 1994.»

Nous écoutons religieusement la bande enregistrée. Et je n'en saurai pas davantage sur sa perception de la rencontre, ni sur les conclusions qu'elle en tire... Après une demi-heure à peine, déjà la fatigue et la douleur se font entendre. Elle éprouve de la difficulté à écrire, ses yeux sont secs, irrités par l'effet de la morphine. Elle souhaite regagner son lit. Après les médicaments, l'onguent pour les yeux, l'Ensure pour apaiser sa faim, la glace, un verre d'eau à portée de main à côté de la clochette sur sa table de chevet, c'est le repos complet. Pour nous deux! C'est à contrecœur qu'elle me sonne : nous avons oublié la chaleur pour les pieds, ils sont glacés. Je vis au jour le jour. Je suis dans le moment présent et je ne cherche que le moyen de répondre au moindre de ses désirs. J'imagine que c'est ce que j'ai besoin de faire dans le moment pour absorber la situation. Je suis toujours confiante. Jocelyne semble garder espoir.

En soirée, la maison baigne encore dans la tranquillité. Jocelyne se laisse dorloter par Lyne, notre belle-sœur «poétesse à ses heures», qui lui fait un massage du visage et des pieds. Une petite douceur qui lui procure une grande détente et qu'elle apprécie avec beaucoup de reconnaissance. En voyant ma belle-sœur aux pieds de ma sœur, je suis fascinée par la générosité dont une personne peut se sentir capable lorsqu'elle comprend que le moindre petit geste de douceur peut procurer autant de bien-être.

30 décembre. Martin s'est réveillé avec de la douleur dans un œil tout rouge qu'il est incapable de garder ouvert tant la lumière l'irrite. La question est directe :

– Qu'est-ce que tu ne veux pas voir, Martin?

Martin ne répond pas, mais chacun saisit bien la perspicacité du propos de Jocelyne. Son esprit d'observation et d'analyse est toujours aussi présent. Pourtant, les entredoses de morphine sont de plus en plus fréquentes pour tenter de contrer la douleur. Le médecin qui fait le suivi depuis son arrivée à la maison s'annonce pour la fin de la matinée. La rencontre dure deux heures. En fait je devrais dire la conversation puisque Jocelyne se confie, en ma présence selon sa volonté, au médecin qui lui permet d'exprimer le cheminement de sa situation. Elle fait un retour sur les dernières années, ce qui l'a touchée, ce qui l'a blessée ou déstabilisée. Elle parle du poids qu'elle a senti sur ses épaules face aux événements qui se sont présentés dans sa vie, de l'importance qu'elle attachait à vouloir aider tout le monde, parfois à son propre détriment. Puis l'échange s'engage sur le cheminement de l'âme cette fois, les lectures qui l'ont marquée ou parfois même troublée. Elle cherche son avis sur certaines questions restées sans réponse.

« J'ai demandé et j'ai le médecin qu'il me faut », m'avait-elle dit dès son retour d'hôpital. Elle était à la recherche d'un médecin pour le suivi à la maison et avait demandé à l'Univers de mettre sur son chemin le médecin qui pourrait le mieux l'accompagner dans sa situation actuelle. Je comprends maintenant qu'elle a effectivement le médecin qu'il lui faut. Un homme, un médecin, capable de discuter de spiritualité lors d'une visite à une malade, capable de parler de ses propres croyances spirituelles, capable de reconnaître les limites de son action face à la maladie et capable de conserver dans son travail, qui est celui d'assurer les services à l'hôpital pour l'unité de soins palliatifs, une sérénité qui transparaît dans ses contacts personnels. En voyant ce médecin amputé de ses doigts d'une main, je me suis dit qu'il s'était sans aucun doute *laissé humaniser par sa propre souffrance**. Un médecin capable d'être un égal, capable d'accepter que sa patiente le corrige.

– Si tu guéris...

– Quand je serai guérie, interrompt ma sœur.

– Pardon ?

– Dis : *quand* tu seras guérie.

Depuis déjà un moment, je perçois son inconfort mais je n'ose interrompre cette conversation qui les anime tous deux. Lorsque le médecin quitte, elle est épuisée et je la gronde de ne pas avoir manifesté son besoin de se reposer car, ayant abusé

---

*   Monbourquette, Jean, *Grandir ; aimer, perdre et grandir*, Ottawa, Novalis, 1994, p. 67.

de ses forces, elle est maintenant très souffrante. Sans doute avait-elle un grand besoin de cet échange...

C'est à contrecœur, et sans me douter le moindrement de ce qui va se passer dans les prochains jours, que je quitte ma sœur en soirée pour rejoindre toute ma famille et passer quelques jours chez mes parents. Je suis contente d'avoir procuré à ses proches un certain répit. Les soins auprès de Jocelyne sont constants et l'implication émotive dans la situation rend la tâche particulièrement exigeante. En particulier la nuit alors que Martin, ou Hélène qui prend la relève à l'occasion, veille sur elle pour lui procurer la médication nécessaire à intervalles réguliers et répondre à tout autre besoin. Je la sais inquiète face aux soins que sa condition exige. Je l'assure que je pourrai revenir dès le début janvier pour prendre soin d'elle, avec son mari, alors que ses enfants auront repris leurs occupations au loin ou même tout près.

31 décembre. Pourquoi cette maladie a-t-elle pris sa place en cette période des fêtes de Noël et du Nouvel An? Pourquoi cette maladie se déclare-t-elle au moment où tout le monde se retrouve pour les réjouissances? Je n'ai pas besoin de poser la question longtemps pour y répondre: parce qu'il fallait que la famille soit autour. Jocelyne est l'aînée de la famille. Une aînée qui a toujours pris son rôle très au sérieux, non pas en voulant imposer ses vues, mais plutôt par la responsabilité qu'elle se donnait à l'égard de la famille. La responsabilité de ramasser la famille, de la réunir à chaque fois que l'occasion se présentait. Pourtant mes parents étaient soucieux de tenir la famille ensemble, particulièrement ma mère qui avait vécu proche des membres de sa nombreuse famille. Je pense que Jocelyne cherchait quelque chose dans ces rapprochements familiaux. Que ce soit pour célébrer la récolte de leur jardin, fêter un anniversaire ou tout autre événement prétexte à une rencontre.

Cette responsabilité, elle la déployait auprès de chacun de nous. Elle nous a tous vus grandir. Pour chacun de nous, elle a démontré des attentions que nous avons en quelque sorte tenues pour acquises. Il était normal que notre grande sœur fasse cela pour nous. Le gâteau de mariage qu'elle a confectionné pour mes noces parle d'elle : son habileté culinaire indéniable, sa créativité jusqu'au bout des doigts, sa disponibilité face à cette tâche exigeante, son souci de me faire plaisir. J'ai tenu tout ça pour acquis ! C'est certain que je l'ai remerciée. Mais est-ce que j'étais consciente de tout ce que cela signifiait comme contribution ? Non. J'étais centrée sur l'objet qu'elle avait conçu pour moi, non pas sur la part d'elle-même qu'elle m'offrait. Un cadeau qu'elle a fait aux filles et aux belles-sœurs de la famille : nous montrer à couper les cheveux de nos hommes ! Certains jours les gars ont dû regretter de se ramasser avec une tête de Forest Gump mais la majeure partie du temps, le gain au portefeuille était considéré comme un gain net. Quant à nos frères, une petite visite à l'improviste, avant l'arrivée d'une femme dans leur vie, leur assurait la coupe de cheveux attendue. C'était normal. C'était notre sœur, la plus vieille de la famille (ce n'était pas son titre favori et jamais nous ne l'avons considéré comme étant *vieille*), celle qui se montrait toujours disponible. Toujours disponible pour nous écouter raconter nos voyages, nos histoires, nos bons coups ou nos vagues à l'âme. Pour la plupart d'entre nous, elle était celle à qui on pouvait se confier pour avoir un éclairage nouveau face à la difficulté que nous vivions. Sa capacité d'écoute était très grande, elle avait une oreille attentive qui percevait la moindre de nos vibrations internes. On ne pouvait pas se cacher longtemps derrière un masque. Avec l'expérience de son travail en thérapie et son propre cheminement personnel, elle avait développé sa capacité d'analyse d'une situation pour aider les autres de façon significative. Jocelyne partageait donc une partie de notre intimité et avait mis en place avec chacun une qualité de relation qu'entre nous autres, frères et sœurs, nous n'avons pas encore réussi à développer.

Pour Noël, nous avons l'habitude de passer quelques jours ensemble, toute la famille réunie autour de la maison familiale. Ma mère a cuisiné pendant quelques semaines pour remplir deux congélateurs et *nous nous installons* pour les festivités. Bien que nous espérions tous qu'elle puisse venir passer un petit moment avec tout le monde pour le souper du Nouvel An, Jocelyne ne se sent pas la force de faire face au brouhaha engendré par toute cette activité familiale. D'autant plus que ses escapades en dehors du lit se font rares et brèves. Son mari veillera sur elle alors que le reste de la famille participera à la rencontre. Chacun est sur le qui-vive. Nous craignons sans le dire le déroulement de cette réunion. C'est bien la première fois que Jocelyne ne sera pas de la fête. Et pourquoi doit-il y avoir une fête alors que notre âme est plutôt à la tristesse ? Comme chaque année, une grande table est aménagée pour accueillir plus d'une vingtaine de convives à la fois. Qu'est-ce donc qui nous anime alors que nous y sommes tous rassemblés ? Nous ressentons tous l'absence, chacun porte en lui le malaise de savoir Jocelyne chez elle, malade, gravement malade. Pourquoi être là tous ensemble si elle n'y est pas ? Notre père récite le bénédicité à voix haute, comme il l'a toujours fait à ma connaissance à chaque réveillon. Comme il l'a toujours fait pour lui-même à chaque repas, pendant toutes ces années.

– Bénissez-nous, Seigneur, ainsi que la nourriture que nous allons prendre.

Une petite phrase toute simple dont j'ai pris bien du temps à saisir toute la portée. *Bénissez-nous, Seigneur.* Bénissez Jocelyne ! Mon frère Denis, l'aîné des garçons, nous invite à avoir une pensée toute spéciale pour elle. Et voilà c'est fait. L'absence est exprimée, l'absence se transforme en présence, une présence bien enracinée au plus profond de nous-mêmes. Cette présence nous invite à vivre cette rencontre dans la complicité et l'amour. Comment expliquer autrement cette atmosphère qui s'empare de nous lors de ce repas et nous incite au rire, à l'humour, à la fraternité ? J'ai en mémoire les paroles de Jocelyne à l'annonce du cancer : « Je ne veux pas qu'une seule personne me voit dans une tombe, voyez-moi arroser mes fleurs l'été prochain ou en train de donner mes ateliers. » C'est ce que nous continuons de vouloir voir. La voir bien vivante parmi nous !

Ce n'est donc pas un hasard si sa maladie la frappe en cette période de rencontres familiales. Avec un peu de recul sur les événements, il est clair qu'il fallait que sa famille, toute sa famille, soit autour pour que Jocelyne mette en place le déroulement du dernier acte. Le corps suit l'âme, parfois aveuglément et jusqu'à sa perte s'il le faut. Car il est son véhicule et non son maître. Son âme avait un plan de match dont Jocelyne elle-même n'avait pas nécessairement tout à fait conscience à ce moment-là.

1er janvier. Une date à laquelle Jocelyne attache une signification particulière. Depuis cinq ans maintenant, depuis ses voyages à Bali qui l'ont éveillée au sens des rituels, elle a développé une tradition familiale à laquelle elle tient énormément. Chaque souper du jour de l'An est marqué par une activité propice à laisser émerger les liens familiaux. Jocelyne fait la lecture d'un texte choisi, suivi d'une brève période de méditation, à partir duquel la famille partage ensuite ses réactions. Puis elle remet à chacun un petit cadeau significatif. Une toute petite cabane d'oiseau sur laquelle elle a peint le nom de chaque nouveau propriétaire, un petit animal symbolisant la personne qui le reçoit, un ange de porcelaine, accompagné d'un message personnalisé. Ce premier janvier ne fera pas exception à la règle, bien que la famille soit loin de se douter de ce que Jocelyne peut tramer à leur insu. Avant de se retirer dans sa chambre pour se reposer, elle leur demande de prendre ce souper du Nouvel An sans elle et de préparer la table avec une chandelle et de l'encens lorsqu'ils auront terminé.

— Quand tout sera prêt, j'ai une surprise pour vous.

Parmi les petits gâteaux traditionnels de Noël de ma mère, les coupes de vin à moitié vides et le café fumant, deux bougies et l'encens disposés sur la nappe rouge des festivités laissent présager un autre événement.

Ayant délaissé sa jaquette, bien coiffée, légèrement maquillée, créant ainsi chez tous une forte impression, Jocelyne sort de sa chambre vêtue de sa plus belle robe. En tous cas, celle qu'elle préfère. Une robe rouge décorée de motifs floraux indonésiens dans les tons de bleu et de jaune. Elle s'assoit au bout de la table, entourée de son mari, ses trois enfants et leurs conjoints. Souriante. Solennelle.

– J'ai quelque chose à vous dire.

Alors que la famille s'affairait en après-midi au repas de ce soir, elle s'est préparée à ce moment. Elle a poursuivi l'écoute de l'enregistrement de sa conversation avec l'archange pour en faire un résumé écrit... qu'elle présente à sa famille rassemblée autour d'elle. Elle partage dans les moindres détails, avec ceux qu'elle aime, les informations recueillies. Pas de secret, pas de voile sur son âme. L'heure est à la plus grande transparence. Les cœurs sont chauds, tremblotants, touchés par l'authenticité de la messagère. Le silence accueille la parole de Jocelyne, dans le respect, la reconnaissance face à la confiance ainsi exprimée. Puis elle remet à chacun le cadeau symbolique qui marquera cette année. Un livre pour mieux vivre ! Un petit livre-guide, qu'elle a fait acheter, qui invite à ne pas dramatiser les situations courantes de la vie. Le bouquin remis à Harrison se distingue des autres. Il est le seul dans la langue de Shakespeare et, l'énergie manquant pour poursuivre la tâche, le seul à être dédicacé. Elle allume maintenant les deux bougies qui attendaient leur entrée en scène. Leurs lueurs se joignent à celles de l'arbre de Noël qui scintille au salon.

– Que la Lumière m'éclaire dans ce passage de ma vie.

Elle enflamme le bâtonnet d'encens, puis l'éteint de son souffle.

– Que ce souffle de Vie diffuse son énergie d'amour sur toute notre famille.

L'encens se répand doucement dans la pièce. Ses longs rubans odorants se déroulent et se dissipent dans l'air.

– Je vous invite chacun à prononcer un souhait, un vœu, une prière en utilisant une chandelle ou l'encens.

Martin ferme les yeux et projette son souffle en tenant l'encens.

– Que cet encens embaume nos cœurs du parfum de l'amour.

Marc approche le bougeoir.

– Que la couleur de cette flamme nous garde en contact avec toutes les merveilleuses couleurs que la vie peut prendre.

Benoît expire doucement sur l'encens qu'il tient dans sa main.

– Que cet encens transporte notre énergie d'amour vers maman.

En accord avec le flux des émotions, les prières continuent de se faire entendre, à la grande satisfaction de Jocelyne qui désirait ardemment cette communion intime. De chaleureuses embrassades clôturent le rituel familial. Jocelyne, épuisée mais satisfaite, retourne se coucher, laissant les siens poursuivre l'écriture de messages dans le livre des uns et des autres. Elle peut dormir tranquille. Les cœurs sont grands ouverts. Elle aura réussi une fois de plus à faire vibrer les âmes de ceux qu'elle aime.

Samedi 2 janvier. Nous venons tout juste d'arriver à la maison. Je suis de retour après une absence d'une dizaine de jours. Je compte prendre un peu de repos, réorganiser la maison pour pouvoir repartir vers ma sœur. Le téléphone sonne. Marie-Chantal est à Dorval et m'informe qu'elle vient d'apprendre que sa mère est entrée aux soins palliatifs de l'hôpital une heure après son départ. Elle est consternée d'avoir à prendre l'avion pour Jasper dans ce contexte.

– Je pense que m'man a des hallucinations. Elle a demandé à Harrison qui se tenait près de moi au salon ce matin ce qu'il faisait avec un bébé dans les bras, me lance-t-elle.

Ces paroles me laissent songeuse. Pendant toute la période que j'ai passée avec Jocelyne, je ne l'ai jamais vue halluciner... Nous avons à peine échangé quelques mots que déjà le dernier appel aux passagers se fait entendre.

– Je te laisse. On se reparle plus tard !

Les soins palliatifs ! J'ai à peine le temps d'essayer de comprendre ce que cela signifie qu'à nouveau le téléphone se fait
entendre. Cette fois, c'est ma mère en larmes qui me confirme
la nouvelle, me disant toutefois que mon beau-frère lui avait
indiqué qu'il s'agissait d'un séjour passager pour permettre au
médecin d'ajuster sa médication qui est devenue très difficile
à stabiliser. Je tente de la rassurer et de me rassurer par le fait
même. Je réussis à rejoindre Martin en début de soirée. Le
médecin est venu à la maison rencontrer Jocelyne en fin
d'avant-midi. Il a constaté, d'après le relevé qu'en a fait
Harrison avant de partir, que les entredoses de morphine sont
trop fréquentes et que la médication prescrite ne la soulage pas
suffisamment. Il propose alors à ma sœur d'entrer aux soins palliatifs pour mieux suivre ses réactions à la médication, ce qu'elle
accepte immédiatement. Alors que j'interprète pour moi-
même la situation à ce moment-là, je me dis qu'elle s'est sentie inquiète dès que la famille s'est dispersée. Elle m'avait parlé
de sa préoccupation de se retrouver seule avec son mari à qui
incomberait toute la tâche, nuit et jour. Elle part de la maison
pour aller recevoir les soins qui lui permettront de revenir chez
elle lorsque ceux-ci seront moins exigeants.

Lundi 4 janvier. Qui m'a téléphoné en ce lundi soir pour me
dire que Jocelyne avait lâché prise et qu'elle demandait à tous
de l'accompagner avec sérénité dans sa démarche ? Je suis incapable de m'en souvenir parce que le message a fait une telle
marque sur moi qu'il a effacé tout l'accessoire qui l'entourait.
Quoi ? Lâcher prise ? Qu'est-ce que ça veut dire au juste ?
Comment est-ce qu'elle peut décider ça, comme ça ? Pas elle !?
Pourquoi maintenant ? Est-ce que c'est bien ce qu'elle a dit ?
Qui l'a vraiment entendue dire ça ? Comment peut-elle vouloir
cela ? Pourquoi ne pas continuer d'essayer ? Quelqu'un l'a-t-il
encouragée à prendre cette décision ? Pourquoi ne m'en a-t-elle
pas parlé ? Des questions, des questions, une infinité de ques-

tions sans réponses, parce que la plupart d'entre elles ne sont pas formulées à haute voix...

De longues heures au téléphone à discuter avec l'un ou l'autre de mes frères et sœurs, à essayer d'intégrer cette information choquante, inattendue, désespérante, ébranlante : Jocelyne a décidé de lâcher prise et demande de l'appuyer dans cette démarche. La ligne d'attente sonne.

– Oui, je viens de l'apprendre. As-tu parlé à Frédéric ? Je suis avec France. C'est ça, Claudine, rappelle-moi quand tu lui auras parlé et dis-lui que je l'appellerai plus tard.

Tout le monde veut parler à tout le monde. Le besoin de ne pas être seul devant cette incongruité, le besoin de vérifier auprès de l'un et de l'autre l'information recueillie, leur perception de la situation. Le besoin d'être en contact pour assumer collectivement cette onde de choc qui vient de déferler sur la famille comme jamais auparavant.

– *Si* c'est ce qu'elle veut, nous devons respecter son choix.

Immanquablement, chaque conversation nous amène là. Comment ne pas respecter sa décision ? C'est son corps, c'est elle qui souffre, c'est elle qui en a assez enduré. Mais il y a ce *si*, car malgré tout je ne comprends pas sa décision, comment peut-elle vouloir en arriver là, le *veut-elle* vraiment ?

Quand je parle à maman ce soir, je continue de jouer le rôle que je me suis donné face à elle : garder une attitude positive quoi qu'il arrive, convaincue que cette attitude est le meilleur moyen de l'aider à traverser cette épreuve de voir sa fille aînée aux prises avec le cancer. Ayons confiance, il sera toujours temps de pleurer si nous devons en arriver là. Jocelyne était très proche de maman ces dernières années et lui a apporté un support constant, inestimable face aux difficultés que posait, pour elle en particulier, la maladie de notre père. Je pense que c'est elle, maman, qui m'a appris la nouvelle. Une nouvelle que je n'ai pas voulu croire vraiment, me disant qu'elle avait sans doute mal compris, mal saisi le sens de ses paroles, me rassurant moi-même en pensant qu'elle s'alarmait facilement.

Tard en fin de soirée, le mari de ma sœur me rejoint finalement. Je lui en veux, je lui en veux de me confirmer cette nouvelle, de ne pas lui avoir fait changer d'idée, de l'avoir laissée partir de la maison vers ces soins palliatifs ; ils l'ont sûrement influencée, elle n'aurait pas pris cette décision si nous avions été près d'elle. C'est mon bavardage intérieur, que je m'efforce de dissimuler le mieux possible alors qu'il me raconte le déroulement des faits que je veux connaître dans les détails. C'est d'abord à une infirmière que Jocelyne a confié hier soir son désir de lâcher prise face au retour à la santé. Ce midi, elle en a discuté avec Martin en présence du médecin qui confirmait les progrès constants de la maladie.

– Elle m'a demandé de le dire à tout le monde, elle veut que vous acceptiez sa décision pour l'accompagner pour la suite des événements.

Je réalise bien qu'il n'est que le pauvre messager chargé de faire le sale boulot ! Un boulot qui demande beaucoup de courage que celui d'apporter une aussi triste nouvelle ! Cette fois, je pense que nous en sommes *arrivés là*. Le temps est venu de pleurer. Pour nous-mêmes. Car Jocelyne attend de nous une attitude sereine face à la situation. Ce soir-là, c'est l'épuisement qui a raison de moi, de ma volonté et de mes émotions lorsque finalement je laisse le téléphone. Je suis engourdie et ne ressens que la fatigue qui me projette rapidement dans le sommeil.

Mardi. Au réveil, je me sens comme une automate. Machinalement je me lève, déjeune, me lave, m'habille, la tête encore gelée par ce bloc de glace qui m'est tombé dessus pour m'insensibiliser, me protéger. Je ne pense pas, je fais comme si je ne savais pas encore. J'erre dans la maison, fuyant le contact avec moi-même et ma souffrance, encore incertaine d'être capable de faire face à ce que va me révéler la nouvelle d'hier soir. Lentement je me réveille de cette anesthésie générale, je n'essaie plus de fuir. Assise au salon face à un soleil matinal radieux, j'accepte d'entrer en moi-même à la rencontre de ma douleur qui me crie de l'entendre.

– Elle va mourir. Jocelyne va mourir.

Jamais auparavant je n'ai vraiment pensé à cette possibilité. Jamais auparavant je n'ai accepté d'entrevoir cette éventualité. Jamais je n'ai pensé à la mort. À la maladie, à la souffrance, à un état grave qu'il fallait changer, oui. À la mort, jamais. Jamais la mort n'a fait partie de mes pensées depuis que la maladie *incurable* s'est amenée chez nous. Je n'ai pas voulu voir venir cela. Je n'ai pas vu venir cela. Où est-ce que j'étais ? Qu'est-ce que je faisais donc ? J'étais à espérer, à penser que Jocelyne la superfemme traverserait cette épreuve comme elle seule pouvait le faire. J'étais occupée à garder le moral, au jour le jour, à aider les autres à demeurer confiants pour m'aider moi-même à passer à travers la souffrance de voir Jocelyne aussi malade. *Mourir. Ma sœur* va mourir. *Jocelyne* va mourir. Je ne le crois pas. On ne peut pas partir comme ça. C'est une bonne vivante, pleine de talents, avec encore plein de choses à nous montrer. Elle ne peut pas s'en aller comme ça.

Tu m'avais dit que tu allais continuer. On a tous cru que tu ferais tout pour t'en sortir. J'étais certaine que tu allais t'en sortir. Pourquoi tu lâches maintenant ? Pourquoi cette décision ? Comment peux-tu *décider* de nous laisser tomber ? Des questions, plein de questions. Je ne comprends pas. Mon rêve du cardinal rouge était pourtant un heureux présage en lien direct avec Jocelyne. J'en suis convaincue. Je l'ai bien senti. Qu'est-ce que cela veut dire alors ? Je n'ai plus de repère. Mon rêve s'évanouit. Mon rêve de la voir guérie, mon rêve de la voir revenir chez elle, mon rêve de la recevoir à nouveau chez moi et de jaser de cœur à cœur, de sœur à sœur, comme avant. J'y ai cru, j'ai vraiment cru que ma sœur, avec toutes ses capacités, ses connaissances, sa volonté et la détermination que je lui connais, j'ai vraiment cru qu'elle pouvait le faire. J'ai cru qu'elle pouvait faire ce qui relevait du miracle parce qu'elle n'était pas seule, elle était entourée de sa famille, ses amis. Et Dieu comptait parmi ses amis. Alors je me suis dit que Jocelyne était la messagère envoyée pour me montrer encore une fois qu'une dure épreuve peut n'être en réalité qu'un *cadeau mal emballé.*

Un cadeau mal emballé ! C'est l'expression que Jocelyne utilisait pour m'aider à percevoir, à travers mes difficultés, le cadeau sous l'emballage peu attirant, pour m'aider à entrevoir les bénédictions qu'une épreuve pouvait m'apporter. Je croyais que dans ce cadeau mal emballé il y aurait la démonstration, comme d'autres l'ont fait, que l'on peut guérir malgré les pronostics négatifs de la médecine traditionnelle en unissant davantage ses propres ressources intérieures à celles de l'énergie divine. Encore là je me suis trompée. J'ai hâte de lui parler et en même temps j'ai peur de lui parler. Elle ne changera pas d'idée. Elle ne fera que me confirmer la nouvelle. Cette fois c'est vrai. Il n'y a plus d'espoir de guérison. Il n'y a plus d'espoir. Elle va mourir. Jocelyne ma sœur va mourir.

La mort est une grande inconnue pour moi. Je l'ai côtoyée à quelques reprises seulement, de loin. J'ai connu la peine de voir partir des gens, mais surtout celle de voir les survivants pleurer leurs morts. Cette fois, c'est mon tour. Elle va partir pour toujours et je ne pourrai jamais la revoir. Je vais perdre ma sœur Jocelyne. Perdre. Être perdante face à la maladie qui a gagné la partie. La mort dans ma famille. Jamais je n'aurais pensé qu'elle nous frapperait ainsi. Accepter cette réalité de la mort qui va venir, accepter qu'elle va changer nos vies.

Pleurer, pleurer, pleurer. Laisser les larmes couler sur mes joues. Laisser les larmes couler à l'intérieur de moi, dans les moindres recoins de mon corps, dans la profondeur de mon âme, pour tracer le chemin de l'acceptation devant l'inévitable, devant l'impuissance à changer quoi que ce soit. Je sens la déchirure. Elle me fait mal. Elle me fait peur. Les larmes l'adoucissent. Elles y coulent doucement, elles la reconnaissent. Elles sont là pour ça. Pour la calmer, l'apaiser, la soulager. Je suis en deuil. J'apprécie de pouvoir être seule avec moi-même. Je prie pour ma sœur ; je prie pour nous tous. Elle veut que nous soyons sereins face à sa décision et que nous l'accompagnions là-dedans.

Respirer à fond. Aller chercher en moi mes ressources de force et de courage. Retrouver mon énergie pour *l'accompagner là-dedans*. Elle est *mourante*, elle n'est pas *morte*. Elle est encore là. J'ai envie d'être avec elle. Je veux être là pour elle. Je ne veux pas me séparer d'elle maintenant. Il y a encore un bout de chemin à faire *maintenant*. Encore un bout de chemin à faire ensemble. Je serai là pour elle comme elle a été là pour moi.

Je feuillette mes albums photos. Jocelyne demande de ne pas lui apporter des fleurs, mais des photos. Je cherche la photo qui nous parlera à toutes deux, qui parlera de nous deux. Il y a celle-là, en août, où elle souffle les bougies de son cinquante-deuxième anniversaire de naissance. Pour une fois elle était chez moi à la période de sa fête et nous en avions profité pour célébrer tous ensemble au cours d'un agréable repas. Elle en était tellement surprise et contente. On aurait dit une enfant devant un beau cadeau qu'elle ne s'attendait pas de recevoir. Mon plaisir de la fêter était d'autant plus grand ! Et puis il y a celle de son séjour d'il y a exactement un an alors que nous sommes assises sur la causeuse du salon. Il doit bien être trois heures du matin. Ayant pris soin, avant de nous y installer, de mettre notre jaquette de nuit pour être prêtes à nous coucher au moment venu, nous y parlons depuis quelques heures déjà sans voir le temps filer. Martin s'étant réveillé et ayant découvert l'absence de Jocelyne à ses côtés, il vient prendre le pouls de la situation. Toujours aussi affable, il nous apporte une couverture que nous partageons pour nous couvrir, car nous sentons la fraîcheur de la nuit.

– Vous feriez une belle photo, les deux sœurs en train de parler aux petites heures du matin !

Et de ce pas il va chercher l'appareil-photo pour immortaliser ce souvenir à tout jamais. Le bonheur de la discussion est encore présent en moi alors que je scrute les moindres détails de cette photographie. Ce dont je me souviens, c'est notre désir d'en profiter toujours un peu plus, de nous donner « encore quelques minutes, puis après on se couche ». Alors que j'y regarde de plus près, le visage de Jocelyne me montre sa fatigue comme je ne l'avais jamais vue auparavant. Et je me rappelle...

– Il va falloir se coucher, car je ne sais pas ce que j'ai, mais je suis fatiguée de ce temps-là.

Est-ce que déjà le mal était là ? Je n'étais pas attentive, je ne l'ai pas vu.

Cette autre photo de nous a été prise lors de notre randon-née en patins le lendemain. Nous sommes assises sur un banc, côte à côte, emmitouflées dans nos manteaux d'hiver, foulards et chapeaux de borg aux larges rebords. Nos vêtements foncés contrastent sur la neige et le sapinage à moitié blanchi en arrière-plan. Nos visages se détachent de la toile de fond grâce à un subtil jeu d'ombres et de lumières qui fait ressortir toute la luminosité du visage de ma sœur. Et puis il y a ce sourire. Ce sourire si vrai, si vivant de Jocelyne que j'ai l'impression qu'elle est là devant moi. Ses yeux ne me lâchent pas. On dirait qu'elle est sur le point de... C'est bien ça. Je l'entends débouler son petit rire saccadé comme une explosion de plaisir intérieur. Le plaisir qu'elle cherche toujours à savourer dans les moindres occasions que la vie lui offre. Je remercie Gabriel de m'avoir créé ce si beau souvenir. Nous sommes « les deux sœurs » que nos conjoints se plaisent à taquiner. C'est cette photo que je choisis d'apporter. Pour le bonheur qui s'en dégage, pour la complicité qui nous lie.

Demain matin je me rends en Mauricie rejoindre ma sœur à l'hôpital. Je ne me sens pas capable de faire ce voyage seule et je crains de ne pas avoir la concentration nécessaire pour con-duire. Je remercie le ciel que mon mari m'accompagne pour faire cette route de plus de trois heures en automobile. Je fais mes bagages en ne sachant pas pour combien de temps je pars. Gabriel reviendra le jour même pour reprendre le travail ; quant à moi, je verrai...

4

Mercredi. Elle est assise dans le fauteuil près de la fenêtre. L'infirmière à ses côtés lui prodigue des soins auxquels je ne porte pas attention, toute occupée que je suis à la *voir.* Son visage est pâle et a perdu un peu de son bel éclat. Elle repose calmement, à moitié étendue, les jambes soulevées et légèrement couvertes d'un petit drap blanc.

– Enfin j'arrive !

L'accolade est chaleureuse. Je peux lire dans son regard qu'elle est contente de me voir.

– C'est ma sœur de Gatineau et son mari, dit-elle en nous présentant Madeleine, l'infirmière.

Je suis contente d'être là. J'aimerais mieux être ailleurs avec elle ; mais je suis contente d'être là, avec elle. Sur le mur, des photos agrandies d'elle avec ses grandes copines. Elle encore, entourée de tous les siens lors de ce qui semble avoir été un repas mémorable. Je n'ai pas apporté ma photo tout de suite. Ma sœur France m'ayant prévenue que sa vision était embrouillée, je ferai faire l'agrandissement avant de la lui montrer. Gabriel repart bientôt. Jocelyne le remercie de m'avoir accompagnée et d'accepter que je reste auprès d'elle, un geste de générosité qui la touche beaucoup, lui dira-t-elle. Cela me remue qu'elle se préoccupe en ce moment de faire un cadeau de la sorte à Gabriel. Car il s'agit bien d'un cadeau, dont j'ai senti l'empreinte affectueuse le toucher au moment de recevoir ce don.

– Tu sais, Gaétane, je vais mourir dans quelque jours. Je vais arrêter de manger et de boire et si je suis assez forte spirituellement, je vais partir.

Elle dit cela avec un tel détachement et une telle conviction ! Cela fait à peine une demi-heure que je suis là. Je ne suis pas préparée à entendre cela. Je ne veux pas entendre ça.

– Ben voyons donc, Jocelyne, c'est pas comme ça que ça marche. Tu ne peux pas partir comme ça.

– Bien sûr que je le peux. J'ai lu là-dessus, je sais que c'est possible.

Je regarde l'infirmière en appelant à l'aide, je prie pour qu'elle lui dise qu'elle se trompe, que cela ne se fera pas comme ça.

– Vous savez, Madame Groleau, je serais très surprise que vous nous quittiez aussi rapidement. Je peux me tromper, mais je pense que vous êtes dans une condition qui me permet de croire que vous avez encore quelques semaines devant vous.

Je suis rassurée. C'est égoïste de ma part, mais c'est ainsi. J'ai besoin de temps, nous avons tous besoin de temps. Le temps qu'elle nous livre son dernier message, le temps qu'elle *vive* son dernier message.

– Jocelyne, tu dois attendre Marie-Chantal. Elle va revenir de l'Ouest pour te voir.

– J'ai vu Marie-Chantal dans le temps des fêtes, nous nous sommes parlé. Je suis prête à partir.

Je ne le crois pas. Elle est vraiment prête à partir !? Comment peut-elle être aussi détachée ? Je ne la reconnais plus. Je sais toute l'affection qu'elle porte à Marie-Chantal comme à ses deux autres enfants.

– Et puis il y a Claudine, au Mexique, qui va vouloir venir te voir.

– Je ne sais pas si je vais pouvoir attendre. Je n'ai pas beaucoup de temps devant moi.

Et voilà. Je connais ses couleurs. Elle est sur son départ. Elle est ici pour cela. Elle n'a pas changé d'idée. Elle qui n'était jamais pressée de partir, toujours la dernière à quitter. Elle part la première et en plus elle veut faire ça vite.

– Mange au moins jusqu'à ce que Marie-Chantal arrive, veux-tu ?

Je souhaite que l'idée chemine tout doucement et n'insiste pas. Profitant de la présence de l'infirmière, Jocelyne se met en tête de vouloir faire réparer le fauteuil dans lequel elle est assise. Elle s'assure que celle-ci est bien la personne en autorité pour prendre une décision, et explique dans les détails en quoi ce fauteuil ne répond pas à ses besoins puisque le support pour les pieds n'est pas au niveau. Elle offre des solutions de rechange à Madeleine qui se demande comment remplacer son fauteuil le temps de la réparation qui pourrait prendre au moins une journée. Un peu plus tard, une personne de l'entretien des équipements viendra chercher le fauteuil pour d'abord le vérifier et le rapporter dans l'heure qui suit, après avoir remplacé un simple boulon qui manquait pour assurer la stabilité du support pour les pieds. À son arrivée, elle avait demandé à ce que l'on répare le store de sa fenêtre qui ne pouvait être remonté pour laisser entrer la lumière. Des faits bien anodins en apparence, dans un autre contexte. Dans le contexte des soins palliatifs, alors que ma sœur combat les effets de la morphine pour pouvoir s'exprimer, même avec difficulté, ces faits me rappellent la détermination dont elle a toujours fait preuve face aux difficultés qu'elle pouvait rencontrer. En les regardant d'encore plus près, je comprends que malgré tout Jocelyne cherche encore à demeurer en contrôle sur son environnement. J'imagine que le lâcher-prise au niveau du confort physique est peut-être l'une des dernières étapes du détachement.

Rapidement, elle m'initie à sa technique pour que je ne force pas trop lorsque je l'aide à sortir de son lit ou du fauteuil. Elle se pose les pieds solidement au sol, je la tiens par les avant-bras alors que je suis devant elle, et nous comptons jusqu'à trois.

– Un, deux, trois, hop !

Elle se lève en forçant avec ses jambes et ses genoux.

– Je savais bien cet été que j'avais raison de me fortifier les genoux. Je pensais bien que j'allais en avoir besoin un moment donné.

Elle fait allusion à ses randonnées en montagne de l'été dernier alors qu'elle visitait les Rocheuses en compagnie de sa fille et des beaux-parents de celle-ci. Je revois la photo laminée accrochée au mur devant sa berceuse. Son commentaire me surprend. Qu'est-ce qu'elle savait au juste à ce moment-là ? Nous nous dirigeons vers la salle de toilette, lentement, très lentement. Elle s'assied avec difficulté. Je l'entends à peine. Sa voix est très faible.

– Reste avec moi. Descends ta fermeture éclair.

J'obéis sans comprendre. Elle s'appuie la tête contre mon ventre. Sa façon bien à elle de se reposer la tête sans sentir le bouton ou la fermeture éclair de mon jeans ! Changement de quart de travail. Normand, l'infirmier, se pointe à la chambre alors que nous sommes positionnées ainsi dans la salle de toilette, la porte étant restée ouverte. Je me sens un peu mal à l'aise en pensant au coup d'œil que nous offrons et je réalise du coup que cela n'a vraiment aucune importance pour moi dans la situation actuelle. Le plus important c'est ce que je peux faire pour Jocelyne.

– Je ne pensais pas que tu allais me demander de faire des choses comme ça, surtout avec un infirmier qui entre dans ta chambre, dis-je à la blague.

Sensible elle aussi au ridicule de la situation, nous ricanons toutes les deux dans un moment de complicité sans pareil. Je la regarde, toute son énergie est maintenant utilisée à se maintenir en position assise. Où prendra-t-elle la force de se relever ? Elle la trouve.

– Ne force pas, c'est moi qui force.

Je suis surprise et reconnaissante de la voir soucieuse à mon égard, car j'ai un malaise au bras droit qui me fait souffrir lorsque je fais un effort. Elle profite de ce déplacement pour retourner dans son lit. Malgré toute la flexibilité qu'offrent les lits moder-

nes des hôpitaux, trouver la position qui lui permet d'être confortable demande du temps et des ajustements. Le cancer qui
la gruge de l'intérieur rend toute la région de la cage thoracique,
jusque dans le dos, très sensible, particulièrement lorsque les
côtes appuient sur le poumon gauche. Jocelyne me guide dans
le positionnement des oreillers à installer sous son dos, sous
ses bras. Pour avoir eu à les réorganiser quelques fois depuis
mon arrivée, je constate qu'elle sait précisément ce qui la rend
confortable. Aussi c'est avec patience et humilité que j'apprends à placer les oreillers exactement de la façon dont elle le
souhaite pour ne pas qu'elle ait à me le répéter à chaque fois,
ce qui la fatigue beaucoup, me confie-t-elle. Car elle s'exprime
avec une voix faible et une certaine mollesse de la bouche,
attribuable à la médication, j'imagine, qui rendent toute conversation très exigeante pour elle, particulièrement lorsqu'elle
tente d'être soulagée en obtenant plus de confort physique.

Comme sa bouche se déshydrate facilement, elle demande
régulièrement à boire un peu d'eau. Je lui tends alors son verre
et le soutiens légèrement alors qu'elle peut le tenir pour le
porter à sa bouche. Sa carafe est vide ; je la remplis de l'eau du
robinet.

– Non, non, l'eau de Saint-Gérard.

Cela me prend un moment à comprendre que Martin
apporte régulièrement pour elle l'eau, en provenance de leur
puits artésien à Saint-Gérard, que l'on conserve dans un
réfrigérateur se trouvant au petit salon aménagé à l'unité des
soins palliatifs. Elle veut maintenant essayer de dormir et me
demande de lui donner son *masque.* Je ne comprends pas ce
dont il s'agit. Elle cherche et finit par le trouver du regard sur
sa table de chevet.

– C'est mon masque de Gene Autry !

Avec une fierté qui lui fait mobiliser son énergie, elle me
raconte la création de cet objet indispensable à son bien-être.
La deuxième nuit de son arrivée à l'hôpital, elle est veillée par
Pierrette et Francine, deux de nos cousines infirmières, qui se
sont spontanément offertes pour passer la nuit à son chevet.

L'air ambiant est très sec, dû à la chaleur dans sa chambre ; chaque respiration lui assèche le nez et la bouche et elle en éprouve un grand inconfort. Alors qu'elle est sur le point de s'endormir, elle s'éveille la bouche déshydratée et le nez bouché ou elle est dérangée par le linge humide que l'on passe sur ses lèvres pour les humecter. Elle demande alors à ce qu'on lui apporte une débarbouillette et fabrique elle-même son « masque de Gene Autry », qu'elle nomme ainsi parce qu'il s'apparente au foulard que portait sur la bouche le célèbre cow-boy des années cinquante. Avec détermination, elle déchire le repli de la couture de deux côtés opposés de la débarbouillette. Elle tend ces cordons ainsi obtenus et plie le linge en deux en diagonale pour en obtenir une pointe de tissu, avec laquelle elle se couvre la bouche et le nez, puis noue les deux attaches derrière sa tête. Elle demande ensuite à ses cousines de mouiller le masque puis de le maintenir humide avec une seringue d'eau de Saint-Gérard ! Elle peut désormais dormir grâce à un taux d'humidité minimal maintenu au niveau de la bouche et du nez.

Je n'ai jamais douté de sa créativité, aujourd'hui je rends hommage à son autonomie ! Désormais, ce masque est son indispensable compagnon lorsqu'elle prévoit dormir. Après avoir retrouvé son calme, le masque bien en place, elle se laisse porter par Morphée. Je la regarde. Une fille si brillante, si créative, si déterminée. Nous sommes aux soins palliatifs. Face à la mort. Jocelyne se prépare à nous quitter. Jocelyne fait face à sa mort !

L'heure du souper arrive. Elle a besoin d'assistance pour guider ses gestes ; sa vision s'embrouille à cause de l'onguent administré pour hydrater ses yeux asséchés par la morphine. Elle mange lentement une purée de fruits et j'ai l'impression qu'elle savoure chacune de ses cuillerées. Elle s'arrête lorsqu'elle a avalé la moitié du petit bol. Après une longue pause, elle soupire de dépit.

– J'ai encore faim, laisse-t-elle tomber comme si son bol était vide.

– Mange le reste, mange autant que tu veux, dis-je sans comprendre.

– J'avais dit que j'arrêterais de manger.

– Tu le feras plus tard, mange au moins jusqu'à ce que Marie-Chantal arrive.

Et elle reprend sa cuillère pour finir son bol sans y laisser la moindre trace de fruits. Elle avait faim et voulait se priver de manger ! Elle sait très bien vers quoi elle s'en va. Pour ma part je ne le sais pas et je me laisse guider, je l'accompagne, je tire sur mon côté de la couverture pour l'influencer si je peux, comme maintenant, mais c'est elle qui décide. C'est sa vie. C'est de sa mort qu'il s'agit, et elle peut décider de la façon dont elle entend la vivre. Normand vient reprendre le cabaret. Assise sur le rebord de son lit en prévision de se rendre à la salle de bains, elle demande à faire un arrêt pour nettoyer son dentier. Sans réfléchir, je lui offre de le faire pour elle.

– Avec l'eau de Saint-Gérard, murmure-t-elle.

Je m'exécute en commentant sur un ton léger :

– En tous cas ma sœur, jamais je n'aurais pensé qu'un jour je nettoierais ton dentier !

L'infirmier attend qu'elle soit prête à se lever.

– J'attends qu'elle vienne chercher l'autre, lui dit-elle en me regardant d'un air complice.

Elle a le cœur à jouer un tour... Elle n'a qu'un seul dentier ! Elle est dans le moment présent et le moment est propice au badinage.

Plus que jamais j'étais décidée à me rendre disponible à ses moindres souhaits, à ses plus petits besoins comme à ses plus grands. Comme celui d'être entourée des personnes qu'elle aime. Depuis son arrivée à l'hôpital il y a quatre jours, son mari, ses enfants, des membres de la famille et des amies ont veillé sur elle jour et nuit. Avec Martin et Hélène assurant la coordination, la présence auprès de Jocelyne s'est organisée au fur et à mesure selon les disponibilités de chacun et les appels de l'une et l'autre pour offrir son aide. Je veux pouvoir dégager de cette préoccupation Hélène, qui travaille à plein temps, et Martin, confronté à sa propre souffrance de voir sa bien-aimée aux soins palliatifs. Je ne sais combien de temps elle sera encore avec nous. Je sais seulement que je souhaite voir quelqu'un à ses côtés en tout temps, vingt-quatre heures sur vingt-quatre. Je sais bien que des bénévoles sont parfois sur place pour assurer la relève auprès des malades. Mais je veux que ma sœur ait un traitement spécial. Je pense qu'avec tout le réseau de parents et d'amis qui lui sont chers, qui déjà téléphonent pour offrir leurs services, organiser sur papier un horaire qui lui permette d'avoir en tout temps à ses côtés une et souvent deux personnes qu'elle connaît, qu'elle aime, est le plus beau cadeau qu'on puisse lui faire à ce moment-ci.

Chez ma sœur France qui m'héberge, une partie de la soirée sera consacrée à entrer en contact avec famille et amis pour consolider l'horaire des gardes, alors que la relève auprès de Jocelyne est déjà assurée jusqu'au lendemain. Il m'est apparu tout naturel de demander à France de m'accueillir chez elle. Nous entretenons de bonnes relations, et je profite habituellement de chaque déplacement vers l'Est pour faire un bref arrêt chez elle à l'aller comme au retour. Parfois nous prenons à peine le temps d'avaler le repas qu'elle nous aura si gentiment préparé avant de reprendre la route pour quelques heures encore. Parfois j'étire ce précieux moment afin de profiter au maximum de cette rencontre avec ma sœur.

Ce soir, je suis contente d'être avec elle et de laisser sortir le trop-plein. Laisser libre cours à mon besoin d'exprimer mes perceptions, mes questionnements. Parler de ma sœur avec ma sœur! Sentir notre attachement commun resserrer encore davantage nos liens.

Jeudi. Je suis impatiente de retourner à l'hôpital aujourd'hui. La journée d'hier s'est déroulée sans que je puisse avoir l'occasion d'un échange très intime avec Jocelyne. Son énergie est assez basse et elle est souvent somnolente. Elle parle pour exprimer le besoin d'avoir un peu d'eau, replacer ses oreillers, se déplacer pour la salle de bains ou encore s'asseoir au fauteuil. À moins que ce ne soit la douleur qui la fasse réclamer l'aide de l'infirmière pour la soulager d'une quelconque façon. La parole joue un rôle fonctionnel, ou bien elle est réservée pour parler des choses essentielles pendant qu'il en est encore temps. Le temps des longues discussions animées est bien loin derrière. Ce matin, c'est son amie infirmière qui a pris la relève vers huit heures. Elle aide Jocelyne à faire sa toilette personnelle. Une attention grandement appréciée, d'autant plus que son amie en profite pour lui procurer de petites attentions comme celle de lui appliquer une crème sur le visage et le corps. Devant cette belle initiative, il est convenu qu'aussi souvent que possible, la personne prenant la garde du matin accomplira cette tâche auprès de Jocelyne. Lorsque je présente à ma sœur la liste de ses *anges gardiens*, avec l'horaire pour les deux prochains jours et nuits, et lui annonce qu'il y aura toujours quelqu'un de nous auprès d'elle, je perçois chez elle un grand soulagement. Elle ne l'aurait pas demandé, mais cela lui procure un sentiment accru de sécurité de savoir que sa famille continuera de veiller sur elle. Nuit et jour.

– Je me sens tellement choyée. Dire qu'il y a des gens qui vivent ça tout seul, alors que moi je suis si entourée.

Elle se montre étonnée et heureuse de savoir que telle ou telle autre personne a téléphoné pour offrir sa disponibilité. Elle aime ce nom d'*ange gardien*. Je l'ai choisi en sachant qu'elle en apprécierait la signification profonde. Car nous serons pour elle des anges gardiens, pour répondre à ses besoins, aller au devant de ses moindres désirs, lui tenir la main, la cajoler, la rassurer, l'aimer, l'accompagner dans ce voyage, dont le parcours nous est inconnu mais dont nous connaissons maintenant tous la destination pour elle. L'horaire des gardes est affiché au babillard de sa chambre, chaque ange gardien sait sur qui compter pour le remplacer.

Ce matin, l'infirmière se montre préoccupée de ma volonté de vouloir ajuster les oreillers de Jocelyne exactement comme elle le souhaite :

– Lorsque vous ne serez pas là, nous n'aurons pas le temps de faire cela pour elle malheureusement.

– Je comprends que votre travail ne vous permet pas de faire cela. Donnez-lui le support médical qui est de votre responsabilité, nous nous occupons du reste. Il y aura toujours quelqu'un de la famille avec elle.

Et les amis font partie de cette grande famille élargie que nous allons former pour être auprès d'elle en tout temps. Jocelyne avait développé un large réseau d'amitiés à travers les nombreuses activités professionnelles ou sociales auxquelles elle avait participé. Elle a tissé des liens tangibles avec de nombreuses personnes qui sont demeurées dans son entourage au fil des ans. Avec quelques femmes, ses grandes amies, elle a développé un lien, une complicité qui ont fait d'elles, dans son cœur, des membres de sa famille. Souvent elle m'a parlé de ces femmes, et en faisant leur connaissance au chevet de ma sœur lors de l'une ou l'autre des relèves de garde, j'ai découvert qu'elle leur avait parlé de moi, qu'elles connaissaient la nature de nos liens. Nous nous sentions toutes en terrain connu, en famille quoi.

Elle sommeille légèrement. Comment faire en sorte que chacun des anges gardiens qui sera auprès d'elle connaisse les petites attentions qui contribuent à son confort ? Comment faire pour lui éviter d'avoir à répéter continuellement les mêmes demandes ? Comme un peu plus tôt, alors qu'elle me demande de rincer sa prothèse dentaire. Machinalement je prends l'eau du robinet. Ses yeux mi-clos, je sais qu'elle ne porte pas attention à moi. Au moment de se mettre le dentier dans la bouche, son nez lui révèle l'intrus. Elle détecte l'odeur de l'eau et interrompt son mouvement pour me demander de le rincer à « l'eau de Saint-Gérard ». Cet incident me rappelle que Martin parle à tout coup de « l'eau *bénite* de Saint-Gérard », comme si cette eau était dotée d'un pouvoir particulier. Je décide donc d'écrire un « *Message aux anges gardiens* » pour y noter dans le détail tous ces petits soins à lui apporter : l'eau, les oreillers, son masque... Tout en contribuant au bien-être de Jocelyne, cela ajoutera au sentiment de sécurité des anges gardiens de savoir ce qu'il convient de faire pour elle.

Décider d'être un ange gardien au chevet d'une personne mourante demande un certain cran, le courage d'affronter ses propres peurs face à la mort, peurs d'autant plus déstabilisantes qu'il s'agit d'un être cher. Comme moi, certains des anges gardiens de ma sœur sont pour la première fois de leur vie « en service » à l'unité des soins palliatifs. C'est leur affection envers Jocelyne qui les y amène, tout comme ceux et celles qui n'en sont pas à leur première expérience auprès des personnes mourantes. Tout un défi à relever que de se retrouver là, inexpérimenté face aux soins à donner, déchiré par la peine, effrayé par la mort qui rôde en ces lieux et désireux en même temps d'*être là* pour Jocelyne. Cela demande un certain temps d'adaptation, de présence soutenue, et je souhaite que chacun puisse rapidement se sentir à l'aise de répondre de façon adéquate aux besoins déjà exprimés par Jocelyne. Je vais aussi loin que je peux dans les détails pour me faire comprendre, me disant à chaque fois que Jocelyne bénéficiera d'être traitée « à son goût ».

Quand la personne que j'aime repose aux soins palliatifs, il n'y a pour moi aucun *caprice* qui ne soit en réalité *un désir à satisfaire*. Tout faire ce qui est en mon pouvoir pour alléger cette expérience de la mort, voilà la seule chose qu'il me reste à faire. En prodiguant des soins, en donnant de l'affection. À son réveil, je lui annonce que puisqu'elle a toujours aimé faire des listes, pour planifier des activités ou s'en servir comme aide-mémoire, j'ai préparé une liste de petites attentions pour elle dans un message à ses anges gardiens. J'ai pensé qu'elle ricanerait avec mon allusion à ses listes, elle exprime plutôt son soulagement à ne pas avoir à répéter ses demandes à chaque fois qu'un nouvel ange gardien veille sur elle !

– Jean-Claude... murmure-t-elle comme si elle se parlait à elle-même.

Avec cette grande tristesse dans sa voix, je peux lire ce qui la tourmente à l'instant.

– Tu penses au fait qu'il est mort sans être entouré comme toi?

Elle fait un signe de tête affirmatif. J'affiche le *Message aux anges gardiens* au babillard, avec l'horaire des anges gardiens et les messages ponctuels. Le message sera ajusté au fil des jours pour tenir compte de la situation évolutive de Jocelyne.

– Apporte-moi la photo, dit-elle en pointant la main comme si je pouvais savoir laquelle, parmi la dizaine de photos fixées au mur, elle souhaite voir de plus près.

Devant mon air perplexe, elle précise :

– Mon hamac.

Une photo prise par Martin à son insu. Sa forêt en arrière-plan, Jocelyne sommeille dans son hamac, aux larges bandes roses et blanches, suspendu à l'intérieur de la véranda. Elle est enveloppée dans une couverture qui semble tissée du même fil rose et seul son visage endormi se détache sur cette couleur.

Jocelyne est attristée tout à coup.

– C'est dommage, elle est floue.

– Mais non, Jocelyne, c'est parce que tu te berçais. Ainsi je vais toujours me rappeler que tu aimais te laisser bercer dans ton hamac.

Comment cette *rencontre* a-t-elle commencé ? Nous sommes en après-midi. Je suis seule avec elle dans la chambre depuis un bon moment. Elle est assise à demi dans son lit et je suis tout près d'elle. Comment cet échange si précieux à ma mémoire a-t-il pris forme ? Je suis contente d'être enfin seule avec elle après les allées et venues du personnel et la présence d'autres membres de la famille. Elle est paisible, installée confortablement avec ses oreillers.

– Jocelyne, je ne comprends pas. Pourquoi tu acceptes de partir ? Pourquoi tu m'abandonnes ? Je ne comprends pas. J'ai tellement de choses à apprendre de toi encore. Nous avons tous tellement à apprendre de toi encore.

– Je ne vous abandonne pas, Gaétane, je vais juste être un peu plus loin. Je vais toujours être là pour toi... et pour tous les autres.

– Oui, mais pourquoi tu acceptes de partir ?

– Quand j'ai regardé tous les signes, j'ai compris que mon heure était venue de partir.

J'aurais voulu demander « quels signes ? ». Mais je sens que mon temps avec elle, dans cette rencontre, est très limité car je vois qu'elle fait de grands efforts pour demeurer alerte. L'instant d'une pensée, je comprends que ses douleurs physiques étaient des signes qui ne pouvaient pas lui échapper quant à la profondeur de son mal et qu'il y avait sûrement d'autres signes, à d'autres niveaux...

– Est-ce que c'est ton entretien avec l'archange qui t'a fait lâcher prise ? Car alors j'aurais mieux fait de ne pas te proposer cette rencontre.

– Tu te rappelles ce que l'archange a dit ?

– Oui.

– Tu étais d'accord avec ses paroles ?

– Oui, dis-je un peu à contrecœur.

– Je savais que je serais bien.

– Mais non tu n'es pas bien, tu vas partir.

– Mourir, Gaétane, mourir. Dis-le, insiste-t-elle d'une voix faible mais décidée.

– Mourir, dis-je, la voix étranglée.

– Oui, mais je vais être bien de l'autre côté. Je n'ai pas peur. Je suis prête. Toute ma vie je me suis préparée à mourir.

Bien que sa voix soit chancelante, je perçois une grande assurance dans ses propos. J'ai le sentiment que, curieuse comme elle l'a toujours été, elle a hâte d'aller enfin de l'autre côté voir d'elle-même ce qu'il en est. Cette sérénité qu'elle dégage face à sa mort imminente me bouleverse, modifie mes perceptions de la situation, me force à apprivoiser sa mort selon sa vision.

– Gaétane, si *une* personne refuse de me laisser partir, je ne pourrai pas partir.

Je reçois très bien le message ! Elle est très claire dans sa demande ; elle sait mon attachement pour elle. Du coup je comprends aussi qu'elle me demande de passer le mot. Je sens une ouverture de plus en plus grande face à cette autre vie qui sera la sienne me gagner tout doucement.

– Mais tu ne pleures jamais !

– J'ai pleuré quand c'était le temps.

Je suis surprise. Elle a pleuré, elle a vu venir.

– C'était quand ça ?

– Cet été.

Ainsi donc elle sait depuis un bon moment déjà. Qu'est-ce qu'elle savait au juste ? Que savait-elle de son état lorsqu'elle est venue chez moi en novembre dernier donner de la formation ? Je me rappelle maintenant. Je l'entends me dire : « Quand j'avais dix-huit ans, j'avais très peur de la mort. » Je ne sais ce qui nous y avait conduit, mais nous avions abordé la question de la mort. Était-ce mes lectures du moment que je partageais avec elle ou bien ses préoccupations personnelles face à son état de santé qui avaient lancé le sujet ? Je ne sais plus.

– Est-ce qu'il y a des choses que je devrais me faire pardonner de toi ? me demande-t-elle à ma grande surprise.

– Non, non. Je suis en paix avec toi. Et toi, es-tu en paix avec moi ?

– Oui, oui, murmure-t-elle, je voulais être certaine que tout était réglé pour la chicane que nous avions eue.

– Jocelyne, notre chicane c'est loin derrière et tu sais que je t'ai pardonné, comme je sais que tu m'as pardonné. Je t'ai pardonné, car je n'aurais pas pu aller chercher de l'aide auprès de toi si je ne l'avais pas fait. Tu sais comme j'ai été ouverte avec toi pour te parler. J'avais pleinement confiance en toi. Si je ne t'avais pas pardonné, je n'aurais pas pu te faire confiance de cette façon. Puis je sais que toi aussi tu m'as pardonné, car tu ne m'aurais pas aidé comme tu l'as fait si tu ne m'avais pas pardonné. Je te remercie encore de tout ce que tu as fait pour moi. Je sais que cela t'a demandé beaucoup de disponibilité et de compréhension. Tu sais que je ne l'oublierai jamais.

Je me penche vers elle pour l'embrasser, caresser ses cheveux, son visage ; lui donner autant d'amour que je peux le faire. Dans mes pleurs se mélangent autant la tristesse que le bonheur de me sentir aussi proche d'elle.

– Tu sais, Gaétane, cette chicane avec toi est une des choses qui m'ont fait le plus évoluer dans ma vie. Quand j'ai regardé cela de près et que j'ai réalisé que c'était l'argent qui était à la base de notre mésentente, j'ai compris que cela ne valait pas la peine, que je devais changer.

De mon côté, bien que je reconnaisse qu'une question d'argent avait été la source de notre dispute, plus que tout j'avais été blessée par certains de ses propos à mon égard. C'était la première fois que nous reparlions de cela et pour moi ça n'avait plus d'importance à ce moment-ci, car j'avais vraiment pardonné, autant à elle qu'à moi-même.

– Tu ne peux pas savoir, Gaétane, tout ce que j'ai fait pour regagner ton amitié, me rapprocher de toi à nouveau.

Et je me rappelle que cela est vrai, car je restais distante face à elle, je ne voulais pas lui redonner ma confiance. Mais elle m'a bien eue, sans que je ne m'en rende compte, elle a su défaire mes mécanismes de défense, jeter par terre la barrière installée entre elle et moi. Je comprends maintenant, aujourd'hui, en écrivant ce livre, qu'elle s'est servi de cette barrière, qu'elle et moi avions érigée ensemble, pour retrouver le vrai parfum de la vie, pour revenir à l'Amour véritable.

Son esprit vagabonde elle aussi de son côté.

– Tu sais, Gaétane, ton beau chapeau avec une bande de fourrure, j'avais pensé m'en faire un. J'aurais pris...

Je perds ses paroles tant sa voix est faible. Elle parle du chapeau que je porte sur la photo que j'ai choisie de lui apporter et que je n'ai pas pu faire agrandir encore. J'ai hâte de la lui montrer.

– Je t'ai beaucoup admirée, me confie-t-elle à mon grand étonnement.

Dans ma tête, la question est « mais pourquoi donc ? » C'est moi qui avais raison de l'admirer.

– Le miroir, Gaétane, le miroir.

Comme si elle avait entendu ma pensée secrète. Je ne pose pas la question. Je ressens une certaine pudeur à l'interrompre alors qu'elle se parle à elle-même tout en me confiant des pensées dont je n'aurais jamais cru faire l'objet.

– Gaétane, c'est un nom que j'ai toujours trouvé beau et je ne te l'ai jamais dit, murmure-t-elle, songeuse, avec une pointe de regret dans sa voix faible, instable.

Puis elle ajoute :

– Tu vas beaucoup me manquer.

– Toi aussi, Jocelyne, tu vas beaucoup me manquer. Je t'aime, ma sœur. Je ne te l'ai jamais dit avant, mais je t'aime.

– Moi aussi, je t'aime.

Et je reste un long moment penchée sur elle pour sceller notre amour partagé, l'embrasser tendrement sur le front, lui caresser les cheveux, le visage.

– Veux-tu que l'on fasse quelque chose pour ancrer notre réconciliation par un geste que nous poserons ensemble ? reprend-elle à ma grande surprise.

Je reconnais bien là l'adepte de la Programmation neurolinguistique.

– Non, non, ce n'est pas nécessaire, c'est déjà bien ancré en moi.

Elle insiste, elle cherche, exprime soudainement son désir de se lever pour aller à la salle de bains. Je lui propose de profiter du fait qu'elle sera debout pour lever ensemble la toile de sa fenêtre de chambre. D'un pas lent et décidé, elle marche avec moi vers cette fenêtre et ensemble, nos mains sur la bande de bois à la base de la toile, nous la soulevons et le soleil pénètre abondamment dans la chambre.

– À notre réconciliation, à cette belle lumière qui nous entoure !

Je me suis souvent demandé pourquoi elle avait tant insisté pour *ancrer* notre réconciliation dans un geste précis, compte tenu du fait que celle-ci n'était pas récente et donc déjà établie par plusieurs gestes que nous avions vécus en toute amitié. En le racontant maintenant, j'ai l'intuition que cela faisait partie de l'objectif qu'elle s'était fixé face à notre réconciliation : un jour, elle et moi allions poser un geste pour signifier que cela était fait et elle saurait qu'elle avait atteint son objectif. Puisque c'était pour elle, qui a fait les premiers pas, un long parcours à franchir, qui lui demandait un cheminement personnel intense, je suis portée à croire qu'au fil des jours elle a cherché à visualiser ainsi l'atteinte de son objectif. Cela lui ressemble.

Je vais à la rencontre de Martin installé au petit salon de l'unité. Plus tôt il a pointé le bout de son nez à la chambre. Je pense que de me voir penchée sur Jocelyne, il avait dû comprendre que le moment était particulièrement intense et demandait l'intimité. De retour à la chambre, Martin annonce à Jocelyne que Marie-Chantal ne pourra arriver avant la semaine prochaine.

– Non, non, c'est trop long, murmure-t-elle pour nous indiquer qu'elle ne veut pas avoir à tenir le coup aussi longtemps.

Devant sa supplique, nous la rassurons.

– Il y a sûrement une autre solution.

Mais nous ignorons encore ce que nous pouvons y faire...

Sa grande amie Thérèse se trouve sur place alors que le souper de Jocelyne arrive. Ma sœur regarde son cabaret avec un certain dédain. Je l'incite à se nourrir un peu pour conserver des forces jusqu'à l'arrivée de Marie-Chantal. Elle ne semble pas avoir d'appétit ce soir et la nourriture servie ne la stimule guère sauf une petite salade de fruits qui lui rappelle une chanson « Salade de fruits, jolie, jolie, jolie ». Pour se motiver à avaler sa soupe, elle remplace « salade de fruits » par « soupe de poulet » et se met à chanter en prenant une cuillerée de soupe entre chaque strophe, prenant soin de zézayer comme le veut la chanson.

Soupe de poulet, zolie, zolie, zolie
Tu plais à mon père, tu plais à ma mère
Soupe de poulet , zolie, zolie, zolie
Un jour ou l'autre il faudra bien qu'on nous marie

Elle éprouve de la difficulté à parler et elle chante ! Elle chante, elle en ressent du plaisir malgré l'effort que cela nécessite pour elle, malgré la voix brisée. Je voudrais partager son plaisir, mais sa voix discordante m'écorche le cœur. Je ravale ma peine.

Enfin elle a fini ce couplet ! Fouillant sa mémoire, la voilà qui entonne le deuxième, encouragée par son amie Thérèse qui chante à l'occasion avec elle.

– Il y a un troisième couplet. Peux-tu me trouver les paroles, Thérèse ?

Puis d'un seul trait elle ajoute :

– Je te donne deux semaines.

J'informe Thérèse que Jocelyne a l'intention de « partir » bientôt et lui suggère que ça pourrait être plus long pour trouver les paroles.

– Deux semaines, pas plus, sinon je vais m'organiser autrement pour les avoir.

Je reconnais bien là ma sœur ! Son échéancier demeure très clair dans sa tête.

Hélène arrive pour voir sa mère en début de soirée. Au petit salon, je regarde avec elle la liste des anges gardiens. Elle s'étonne et s'inquiète tout à coup.

– Frédéric passe la nuit avec m'man ?

Entre les lignes, je peux lire les questionnements se bousculer dans sa tête. Comment se fait-il que ce bourreau de travail décide, en pleine semaine, de venir faire la garde de nuit auprès de sa sœur ? Comment agira celui que son travail d'avocat semble davantage prédisposer aux confrontations verbales qu'aux gestes de compassion ? Du haut de sa stature de six pieds, pourra-t-il se pencher sur les besoins de Jocelyne ?

– Mais oui. Il a téléphoné pour dire qu'il voulait passer la nuit avec elle. Il a l'habitude des hôpitaux plus que toi et moi ensemble. Il a travaillé pendant quatre années comme préposé aux bénéficiaires pendant ses études.

– Ah oui ?!

Elle est rassurée et maintenant heureuse de cette disponibilité.

Frédéric arrive de Montréal vers les vingt-trois heures. Il fait la garde de nuit pour une première fois. Je suis contente de le voir. Nous nous retrouvons au petit salon, Hélène étant auprès de Jocelyne. Il arrive d'un pas décidé, prêt à prendre les choses en main. Je l'invite à prendre connaissance avec moi du message aux anges gardiens que j'ai préparé dans la journée. Au premier abord, son empressement d'être auprès de notre sœur le pousse à vouloir escamoter la lecture de la feuille de consignes. Puis, de plus en plus conscient de l'état de notre sœur et des soins précis dont elle a besoin pour son confort, il met le plus grand soin à comprendre chacune des demandes. Je sens bien qu'il est prêt lui aussi à donner à Jocelyne toute l'attention et le confort possibles. Il s'engage à transmettre ces informations à la personne qui le remplacera demain matin. Une fois mis devant l'état de la situation de notre sœur, je le sens un peu plus troublé qu'à son arrivée, mais tout aussi décidé à passer la nuit à son chevet sans la quitter de l'œil.

– Je ne dormirai pas, je suis habitué à passer la nuit éveillé, je l'ai fait pendant des années quand je travaillais à l'hôpital.

Je pars l'esprit en paix, je sais qu'elle est entre bonnes mains.

Ce n'est pas le fruit du hasard, j'en ai la profonde conviction. Ce soir-là, alors que je m'apprête à quitter les soins palliatifs, mon regard est attiré d'un seul coup d'œil par ce texte, parmi d'autres, au babillard du corridor de l'unité. En lisant ces quelques lignes, debout au milieu du corridor, j'ai le sentiment que ma sœur me parle. Elle poursuit notre entretien de cet après-midi pour me livrer son message. J'entends sa voix dans le tumulte de mon cœur en chamade.

La mort n'est rien,
Je suis seulement passé dans la pièce à côté.
Ce que j'étais pour vous, je le suis toujours.
Donnez-moi le nom que vous m'avez toujours donné,
parlez-moi comme vous l'avez toujours fait.
N'employez pas un air solennel ou triste.
Continuez à rire de ce qui nous faisait rire ensemble.
Priez, souriez,
pensez à moi,
priez pour moi.
Que mon nom soit prononcé à la maison,
comme il l'a toujours été,
sans emphase d'aucune sorte,
sans aucune trace d'ombre.
La vie signifie ce qu'elle a toujours été.
Le fil n'est pas coupé.
Pourquoi serais-je hors de vos pensées

simplement parce que je suis hors de votre vue ?
Je ne suis pas loin, juste de l'autre côté du chemin.

AUTEUR INCONNU

À mon retour chez ma sœur France ce soir, je lui raconte ma conversation de l'après-midi. Je suis contente de pouvoir partager avec elle. J'ai besoin de me remémorer les événements de la journée, de me rappeler les paroles de notre sœur, d'intégrer l'information qu'elle me donne. J'en ressens une énergie qui me stimule, contribue à ma confiance dans sa démarche, nourrit mon désir d'être auprès d'elle à chaque instant. Nous sommes fascinées par les propos de Jocelyne, par la sérénité qu'elle dégage et par l'atmosphère qu'elle réussit à créer autour d'elle. Car c'est bien elle qui nous guide dans notre attitude à son égard, qui nous invite à apprivoiser sa mort avec sérénité. Nous avons le sentiment que c'est elle qui nous porte dans cette expérience, c'est elle qui nous donne le courage de l'accompagner dans son processus de mourir. Elle a choisi la façon dont elle voulait vivre sa mort et nous y participons.

Passé minuit, une fois que tout a été dit, redit et assimilé, l'heure du coucher se fait sentir. Pourtant, dans ma tête une activité fébrile continue de vouloir prendre place. Comment trouver le sommeil ? Comment arrêter la machine à penser qui entraîne dans son mouvement les soubresauts de mon cœur ? Un bref entretien avec Robert, qui continue, avec une grande générosité, son accompagnement au niveau énergétique auprès de ma sœur, me revient en mémoire comme une bouée de sauvetage.

– Comment est-ce que je peux me protéger, pour conserver le plus possible mon énergie tout en accompagnant Jocelyne aux soins palliatifs ?

– Demande à éloigner les vibrations négatives.

Je décide sur-le-champ de tenter un exercice. Installée dans mon lit dans une position de détente, je prends quelques grandes respirations. Je demande à l'Univers de m'aider à éloigner de moi les vibrations négatives accumulées. Je visualise qu'à partir du sommet de mon crâne, je pousse toutes ces vibrations négatives jusqu'aux extrémités de mes pieds, pour les laisser retourner à la terre. Je nettoie mon corps de toutes les énergies négatives que j'ai pu contacter durant la journée. Les peines, les peurs, les malaises physiques, les doutes et tout ce dont je n'ai pas conscience et qui pourtant affaiblit mon système énergétique. Bientôt, le sommeil, invité par un état de calme et de sérénité, se pointe avant même que mes prières ne soient amorcées.

5

Vendredi. Le réveil est brutal à cinq heures du matin. La déchirure est là, je la sens. Est-ce que j'ai rêvé ? Est-ce que ma sœur est vraiment aux soins palliatifs ? Mon cœur s'emballe. Jocelyne va mourir. C'est bien vrai, c'est pour cela que je suis ici, toute seule dans ce lit, loin de ma famille. J'ai peur ! Peur de sa mort. Peur de devenir folle devant cette éventualité. Je ne suis pas capable de supporter l'idée de la perdre. « Calme-toi, Gaétane. Change ta perception des choses, c'est une question de survie. » J'entends le message de mon âme. Je me lève. Je ne puis penser retrouver le sommeil dans cet état et j'ai besoin de changer d'espace pour m'aider à regagner une attitude plus sereine. Je me rends au salon et me réchauffe dans une couverture sur le divan. France m'a entendue monter du sous-sol ; elle ne dort pas elle non plus. Elle déniche une autre couverture et s'installe près de moi sur le canapé.

– J'ai l'impression que c'est un mauvais rêve, me dit-elle.

– Moi aussi.

Nous sentons le besoin de nous rapprocher, de nous coller l'une contre l'autre pour faire face à la peine qui nous habite. Pour pleurer dans les bras l'une de l'autre, pour ne pas nous sentir seules, partager notre chagrin de sœurs. Je suis contente qu'elle soit là. Je suis contente de sentir ce lien de sœurs qui nous unit toutes deux à Jocelyne. J'apprécie cette intimité sans pudeur, sans retenue, le privilège de vivre ensemble cette peine intense. Le réconfort nous amène tout doucement vers la détente, puis le sommeil bénéfique, alors que nous nous installons chacune sur un canapé en attendant la lumière du jour.

À mon second réveil, je suis prête à entreprendre cette journée. J'ai besoin de vérifier la disponibilité de Francine, ma cousine infirmière qui a passé la nuit avec Jocelyne avant-hier. Elle me parle de l'état de Jocelyne et, se basant sur son expérience personnelle auprès de personnes mourantes, elle croit que ma sœur va nous quitter assez rapidement. Je lui dis que je suis convaincue que c'est avec elle, la nuit, qu'elle décidera de partir. Je ne sais pas exactement pourquoi je pense cela sinon que Jocelyne se sentira en sécurité avec elle. Francine me demande quelles sont les personnes décédées que Jocelyne affectionnait particulièrement. Elle voudrait lui rappeler qu'une de ces âmes l'accueillera lorsqu'elle fera le *passage*, qu'elle peut se sentir en sécurité. Je pense à une amie décédée l'été dernier qu'elle a accompagnée dans son cancer, mais surtout à la mère de maman, décédée il y a plusieurs années, et pour qui Jocelyne avait beaucoup d'admiration et d'affection. Cette femme était aussi talentueuse, énergique et créative que Jocelyne, et je pense qu'elle lui a servi de modèle. Elle pourrait se trouver là lorsque Jocelyne se présentera à la porte.

La conversation que je viens d'avoir avec ma cousine m'incite à croire que le départ de Jocelyne approche. Avant de quitter la maison pour l'hôpital, je décide de téléphoner à ma sœur Claudine au Mexique. Je ne voudrais pas que Claudine manque l'occasion d'une dernière rencontre avec elle. Lorsque je l'informe de la situation et l'invite à revenir le plus tôt possible, elle m'annonce sur-le-champ qu'elle prendra l'avion dimanche et sera à Montréal vers dix-neuf heures. Une amie ira la chercher à l'aéroport. Ma sœur France et moi sommes étonnées de la vitesse avec laquelle Claudine a pris sa décision, compte tenu qu'elle laissera derrière elle ses deux enfants et son mari. Tout de même, l'important c'est qu'elle arrive bientôt.

À mon arrivée à l'hôpital vers dix heures, je suis étonnée de constater que Frédéric est toujours avec Jocelyne, alors que l'ange gardien qui s'est pointé comme prévu à son rendez-vous de huit heures trente attend patiemment au petit salon pour prendre la relève de la nuit.

Le corridor de l'unité des soins palliatifs débouche sur ce que l'on appelle *le petit salon*: une pièce aménagée d'une cuisinette, table et chaises de cuisine, fauteuils et berceuses, et réservée aux familles des personnes hospitalisées dans l'unité. C'est le lieu de repos et de rencontre des anges gardiens de Jocelyne et des autres malades. Plus souvent qu'autrement, nous sommes la seule famille à occuper le salon. Certains malades décèdent rapidement après leur arrivée, alors que d'autres ne sont malheureusement pas accompagnés de façon aussi soutenue que nous le faisons pour Jocelyne. À l'occasion, nous y croisons un membre d'une autre famille. Nos échanges sont réservés. Nous partageons un même espace de repos et chacun est soucieux de respecter la souffrance de l'autre. Lorsque deux personnes sont au chevet de Jocelyne, à tour de rôle chacune peut s'y retirer au besoin. Le jour, c'est l'endroit pour prendre la collation qui tient lieu de repas, recevoir un appel, faire le téléphone qui informera la famille des derniers événements ou échanger avec un autre ange gardien ou un visiteur de passage. Nous utilisons le réfrigérateur sur place pour conserver «l'eau de Saint-Gérard», quelques petits Danone que Jocelyne affectionne ou le goûter apporté pour la période de garde... lorsqu'on y a pensé. La nuit, deux anges gardiens sont habituellement sur place. À tour de rôle lorsque la situation s'y prête, chacun veille Jocelyne pour ensuite s'allonger au petit salon pour une partie de la nuit.

Frédéric arrive finalement au petit salon, pour être aussitôt remplacé auprès de Jocelyne. Je le vois s'asseoir dans la berceuse, songeur. Il a les yeux un peu rougis, les larmes encore chaudes au bord des paupières. Je ne sais ce qui l'habite, mais la présence est intense. Il me regarde, silencieux, se demande s'il partagera avec moi ce moment d'intimité vécu avec Jocelyne. Le cœur est trop plein, il a besoin de se raconter.

– Elle m'a dit: «Frédéric, viens t'asseoir près de moi, de ce côté, mets ta chaise là, prends-moi la main. Toi, Frédéric, tu es né le 4 avril 1962, je m'en souviens très bien» et là, pendant deux heures, elle m'a raconté combien elle était attachée à moi, comment elle avait dû quitter l'école pendant un an pour venir prendre soin de moi à ma naissance, combien elle avait souffert de me quitter pour retourner à ses études à l'extérieur. Elle avait eu l'impression alors de perdre son bébé ; elle avait seize ans. Elle m'a parlé de notre relation, de ce qu'elle souhaitait pour moi.

Je comprends mieux maintenant pourquoi elle était si contente de voir Frédéric le soir de notre retour de la rencontre avec le médium, et ce qui lui avait donné un tel regain d'énergie. Je comprends aussi sa grande joie lorsque je lui ai appris que Frédéric passerait cette nuit avec elle. Jamais elle ne m'avait parlé de ce lien affectif aussi fort avec lui ; lui-même n'en était pas conscient. En pièces détachées, alors que petit à petit il digère les messages de sa sœur aînée, il me livre quelques passages de cette rencontre mémorable.

– Elle m'a dit avoir déjà lu que la première personne qui meurt dans une famille lui donne le ton sur la façon d'appréhender la mort.

Ces dernières paroles nous laissent tous deux songeurs. La fatigue de la nuit gagne progressivement Frédéric, tandis que son esprit se calme peu à peu. Cette nuit a laissé sa trace autant dans son corps que dans son âme. Il se lève d'un bond.

– J'ai besoin de dormir. À plus tard.

Depuis un bon moment, il y a un certain va-et-vient dans la chambre. Sa médication est surveillée de près pour parvenir à contrôler efficacement la douleur qui semble s'accentuer au fur et à mesure que la maladie gagne du terrain. Par intermittence, la douleur se pointe de façon brutale ; son visage et tout son corps se crispent et un certain désarroi se lit dans son regard. « Appelle l'infirmière » est le signal qui réclame un soulagement lorsqu'elle a épuisé ses réserves de tolérance face au mal. Jamais un cri, jamais un pleur ; jamais de mouvement d'impatience ou de haine face à cet assaillant qui la détruit de l'intérieur, petit à petit...

– Aurez-vous la patience ? me murmure-t-elle, comme si elle lisait dans mes pensées.

– Jocelyne, nous allons avoir pour toi autant de patience que tu en as, toute la patience dont tu vas avoir besoin.

– Je me sens tellement choyée, entourée.

Ce commentaire, plusieurs personnes autour d'elle cette semaine-là l'ont entendu. Les doses de morphine pour combattre ses souffrances vont toujours en augmentant. Les effets secondaires reliés à la morphine procurent beaucoup d'inconfort et, ajoutés à la maladie qui fait ses ravages, anéantissent tout doucement sa vitalité. Les yeux et la bouche s'assèchent de plus en plus, le contrôle de la parole exige davantage d'efforts, ses membres perdent peu à peu de leur motricité, elle avale avec difficulté. Les douleurs de Jocelyne s'expriment à différents niveaux dans son corps. Pour assurer un meilleur contrôle sur ces douleurs, l'infirmière installe aujourd'hui un pousse-seringue, un petit dispositif distribuant de façon continue la médication. Une tubulure fixée à l'abdomen rejoint la seringue dosée pour vingt-quatre heures. Cette pompe, comme chacun l'appelle familièrement, intègre toute la médication nécessaire : relaxant musculaire, morphine et co-analgésiques. Toute cette question de médication et les soins médicaux qui sont apportés à Jocelyne font naturellement partie de mes préoccupations lorsque je suis à son chevet. Je réalise que je suis dans un univers que je ne connais pas du tout.

– Pourquoi des diachylons sur ses talons ?

En l'aidant à se réinstaller dans son lit, je constate cette présence que je n'avais pas vue auparavant.

– Votre sœur a des plaies de lit. Ce sont des diachylons spéciaux avec un onguent pour protéger sa peau. Nous les avons installés ce matin lorsque nous avons vu ses plaies.

Madeleine nous suggère de placer un oreiller pour soutenir ses jambes et faire en sorte que les talons ne touchent pas le matelas, car cela devient très douloureux pour elle. Je mettrai une note aux anges gardiens dans la partie « oreillers ». Je veux être certaine que chacun veillera à s'occuper de ce détail, qui en réalité n'en est pas un pour elle qui souffre. Dans cet univers où l'on soigne la personne malade sans traiter la maladie, comment agit la médication? Quels sont les effets secondaires? Pourquoi interrompre un médicament pour un autre? Pourquoi son corps réagit-il de telle façon? Et puis il y a les questions que je me pose mais dont je ne veux pas savoir la réponse. Comment se vit cette souffrance dans son corps? Comment évolue sa maladie? Quelles sont les étapes auxquelles nous pouvons nous attendre? Je ne suis pas encore prête à entendre ces réponses. Mais j'ai besoin d'avoir des explications à certains de mes questionnements. J'ai besoin de comprendre ce qui se passe dans le moment présent. Comme hier soir, alors que ma sœur me rejoint après son travail pour passer la soirée à l'hôpital avec moi. France étant auprès de Jocelyne, j'en profite pour discuter avec Linda, l'infirmière de garde. Je lui raconte comme je suis étonnée de la réaction de Jocelyne devant la souffrance.

– Votre sœur a-t-elle été souvent malade?

Sa question me surprend, car sur le moment je ne fais pas de lien.

– Oui, Jocelyne s'est souvent débattue avec des maux physiques, et nous avions l'habitude de l'entendre se plaindre d'une douleur ou d'un malaise qui l'incommodait ou la faisait grandement souffrir. Voilà pourquoi sa réaction actuelle me questionne tant. Elle ne se plaint jamais! Ses douleurs sont pourtant très fortes.

Linda me raconte que le soir de son arrivée, elle a eu l'occasion de parler un bon moment avec ma sœur, qui s'est confiée à elle en ces termes: « Je me rends compte que je suis en train de laisser à ma famille l'image d'une femme chialeuse. À partir de maintenant ça va changer. »

Et voilà qui explique son attitude de retenue. Elle tient promesse à mes yeux. Je sais qu'il lui arrive la nuit de perdre patience face à la douleur, d'être affolée devant son état. Pour moi cela n'enlève absolument rien à l'attitude sereine qu'elle dégage tout au long de ces journées et soirées où je suis avec elle. Linda m'explique que la nuit est plus difficile à vivre pour ma sœur lorsqu'elle ne dort pas. La noirceur, le calme absolu lui font perdre les quelques points de repère encore présents chez elle. C'est pourquoi il est indispensable pour nous d'avoir en permanence un membre de la famille auprès d'elle la nuit : pour lui tenir la main et la rassurer, répondre à son besoin de boire ou d'humecter sa bouche, appeler le personnel infirmier si nécessaire. En tout temps, demeurer avec elle pour éviter qu'elle ne s'affole lorsqu'elle s'éveille et réalise qu'elle est seule.

Une fois de plus, je l'aide à prendre un peu d'eau. Elle boit au verre avec maintenant plus de difficulté et nous devons l'aider à porter l'eau à ses lèvres. La paille qu'elle utilisait à son arrivée a été mise de côté car elle introduisait de l'air qui lui causait des problèmes.

– Voyons, Gaétane, on dirait que tu te sens incompétente avec l'eau.

Je suis estomaquée. J'essaie pourtant de démontrer le plus d'assurance possible dans cette situation. Mais elle a raison. J'éprouve un malaise. Car à chaque fois je ressens son propre malaise face à cette eau. Elle commence à avoir peur de s'étouffer en buvant et je le perçois dans ses gestes minutieux pour contrôler le débit de l'eau qu'elle avale. Je ne peux rien lui cacher. Tout comme j'ai le sentiment de capter fidèlement ses états d'âme.

Martin arrive en début d'après-midi. Aujourd'hui il apporte pour sa douce quelques jus de fruits de haute qualité et ses petits yogourts favoris. Pour les anges gardiens, des fruits, jus et yogourts sont également disponibles. C'est une délicate attention que j'apprécie personnellement. Je pars souvent de chez France sans prendre le temps de me préparer un goûter en me disant que j'irai à la cafétéria de l'hôpital. Une fois sur place, je ne veux pas quitter ma sœur et n'ai guère l'appétit pour m'inciter à me promener dans les ascenseurs. Un yogourt, un jus sont pour moi tout ce dont j'ai besoin en ces journées. Il range au réfrigérateur ces précieuses denrées, pour ensuite prendre certaines informations auprès du personnel infirmier.

Pour lui permettre de se reposer des dernières semaines, des nuits de veille à masser Jocelyne souffrante, et lui donner du temps pour absorber la nouvelle réalité qui se dessine au quotidien, l'horaire est établi en prévision qu'il s'ajoute aux anges gardiens déjà sur place. Il peut ainsi choisir ses moments de présence auprès de Jocelyne. À son retour à la chambre, je lui laisse l'occasion d'être seul avec Jocelyne en me retirant au petit salon.

Pour tenir le coup, *faire face à la musique* comme il dit, contrer ce terrible sentiment d'impuissance qui descend jusque dans ses entrailles, Martin affiche une mine surfaite, l'air calme et détendu de celui qui semble bien en contrôle de ses émotions. Et pourtant, je vois bien qu'il fait du surf sur sa détresse, ne laissant entrevoir qu'une toute petite partie de la blessure profonde qui déferle sur lui, risquant à tout moment de l'anéantir, de lui enlever tout moyen de défense, toute chance de survie. C'est ce que je comprends sans l'ombre d'un doute lorsque, à la porte de la chambre, je fais face à Martin qui vient de quitter Jocelyne. Le visage enflammé, rouge d'émotion retenue, de douleur comprimée, les yeux hors de leur orbite, Martin a l'air hagard de celui qui cherche son souffle dans la tourmente.

Je suis seule à nouveau auprès de ma sœur. Elle somnole. Je tiens sa main dans la mienne, la regarde comme je ne l'ai jamais fait auparavant. Sa main est douce, petite, soignée, en dépit de tous les travaux accomplis. Son esprit créateur s'est manifesté à travers ses mains ; sur son piano, dans sa poterie, sa couture, sa cuisine si savoureuse. Je consulte cette main affaiblie, à la recherche de son histoire. Ses mains ont travaillé la terre de son jardin potager, celle de ses plates-bandes, recherchant ce contact intense avec la Vie. Je contemple cette main délicate qui a si bien su exprimer sa compassion. Avec autant de douceur que de force, elle m'a pris la main pour me sortir du vilain trou dans lequel j'avais plongé lorsque j'étais en épuisement professionnel.

– Merci, ma sœur. Merci d'avoir été là pour moi. Pardonne-moi les moments où je n'ai pas su être à tes côtés.

Je souhaite que mes pensées parviennent jusqu'à elle, qu'elle accueille ma reconnaissance autant que ma peine. Je caresse sa main. Je suis contente qu'elle me donne le temps d'être auprès d'elle pour lui dire que je l'aime, pour lui dire au revoir, pour commencer mon deuil. Apprendre à me détacher tout doucement. Accepter de voir ce corps me quitter. Accepter qu'elle emporte avec elle toute cette connaissance si précieuse et si durement acquise, ce savoir que j'aimerais tant qu'elle continue de partager avec moi.

Pourquoi n'ai-je pas porté davantage attention à ce qu'elle me disait? Pourquoi n'ai-je pas demandé à comprendre alors qu'elle pouvait m'expliquer?

– Je sais que je vais mourir, j'ai vu le crucifix lumineux.

Son propos me déstabilise.

– Ah oui! Où ça?

– Derrière toi, regarde.

Avec une certaine hésitation, je tourne le dos pour constater la présence d'un crucifix sur le mur.

– Je l'ai vu lumineux, insiste ma sœur.

Je ne sais quoi dire. Je ne dis rien. Je lui offre de l'eau pour faire diversion. Je ne sais pas comment interpréter ses paroles. Est-ce qu'elle hallucine? Je n'ose pas la contredire, lui demander de s'expliquer, de m'expliquer. C'est ma troisième journée à ses côtés aux soins palliatifs et jamais je ne l'ai entendue divaguer ou halluciner. Je songe à cette Lumière qu'elle avait dit avoir vue arriver lors de la canalisation avec l'archange Michaël. Là aussi j'étais restée bouche bée, troublée par la nature de cette vision... parce que je ne la percevais pas moi-même.

En fin d'après-midi Frédéric est de passage, en route vers Montréal. Il nous retrouve au petit salon, Martin, Hélène et moi, alors que Marc veille sur Jocelyne. Nous discutons de la situation de Marie-Chantal qui ne pourra arriver avant mardi prochain. Ce sera son deuxième voyage en moins de dix jours et un billet acheté à l'intérieur de deux jours lui coûterait deux mille dollars. De plus, elle vient tout juste de commencer un nouvel emploi et s'inquiète de la réaction de son employeur. Nous avons encore en mémoire la supplique de Jocelyne «Non, non, c'est trop long», que personne n'ose dire à Marie-Chantal. J'observe Frédéric, silencieux depuis un moment. Il mijote quelque chose, cela se sent.

– O.K. Je vais lui offrir le billet d'avion. À une condition. Je veux que personne d'autre que nous quatre soit au courant. Il faut que Marie-Chantal soit ici au plus tôt auprès de sa mère.

Je suis soulagée. Je comprends le geste de Frédéric et lui en suis tellement reconnaissante. Comment faire en sorte que Marie-Chantal ne sache rien, elle qui est si indépendante? Elle doit être informée du geste de Frédéric et savoir qu'il comprend la situation dans laquelle elle se trouve. Frédéric est convaincant, il veut à tout prix faire ce geste pour Marie-Chantal, à moins que ce ne soit d'abord pour Jocelyne. Ou pour lui-même, pour se faire le plaisir de faire plaisir à sa sœur. En moins d'une demi-heure tout se règle. Marie-Chantal accepte finalement l'offre et vérifie dès ce soir la date de son arrivée, que nous confirmerons dès que possible à Jocelyne.

Ma sœur France me rejoint après le souper alors que les autres ont quitté. Assises de chaque côté de son lit, nous veillons ensemble sur notre sœur. J'ai hâte que nous puissions l'informer de l'arrivée prochaine de Marie-Chantal. Mais en ce moment c'est à son fils qu'elle songe.

– Benoît pourrait partir en affaires. Monter sa petite entreprise en fabriquant des masques comme celui que j'ai fait. Imaginez toutes les personnes que ça pourrait aider. Il pourrait se trouver un local en ville, il y en a plusieurs de disponibles. Il pourrait recevoir de l'aide. Il y a plein de programmes de financement pour les jeunes qui veulent se lancer en affaires. Qu'est-ce que vous en pensez?

Je ne sais pas. Je suis loin d'être persuadée que cela cadre avec les projets de Benoît, qui songe depuis un bon moment à voyager à l'extérieur du pays. Je ne souhaite pas argumenter sur le bien-fondé de son plan. Et je ne veux pas la décevoir. Je finis par concéder :

– Oui. Peut-être.

Le silence s'installe, lourd du non-dit qui pèse entre nous.

– Tu n'as pas l'air très convaincue. Puis toi, France, qu'est-ce que t'en penses ? Tu ne dis rien ? Fais pas semblant que tu n'as pas compris la question. Dis ce que tu penses vraiment. Dis-moi ce que tu penses de l'histoire du masque.

France sait à quel point Jocelyne est préoccupée par l'avenir professionnel de son fils. Prise au dépourvue elle aussi, elle finit par admettre :

– C'est une idée, si ça l'intéresse vraiment...

Jocelyne n'est pas dupe, elle comprend le message. Mais elle souhaiterait tellement partir sans être inquiète pour Benoît. Au moins dans sa tête, lui trouver un projet de vie, le caser avant de partir.

La journée a été exigeante pour elle alors qu'elle trouve difficilement le moyen de se reposer complètement avec la douleur qui l'interpelle à intervalles réguliers. Vers les huit heures, nous nous affairons aux préparatifs qui lui permettront d'entreprendre sa nuit : passer avec elle à la salle de bains, la réinstaller confortablement dans son lit avec les oreillers et une couverture légère sur elle, mettre l'onguent pour ses yeux, remplir la carafe d'eau et libérer la table de chevet des quelques objets inutiles qui pourraient l'encombrer, installer le bandeau humide sur sa bouche et son nez, faire jouer une musique douce et tamiser davantage la lumière. La voilà bien installée. Depuis un bon moment elle semble se laisser aller tout doucement vers le sommeil. France et moi demeurons silencieuses à son chevet. Nous avons été informées que ses facultés auditives sont accrues. Bien qu'elle nous semble totalement absente à certains moments, elle peut tout de même nous entendre. Nous ne voulons pas risquer de la déranger en parlant à ses côtés.

– À terre, à terre, lance-t-elle tout à coup, affolée, cherchant à sortir du lit.

Nous ne savons pas ce qui se passe, mais il est certain que nous devons rapidement l'aider à mettre les pieds par terre car elle est résolue à s'exécuter. Elle fait quelques pas dans la chambre, prenant appui sur nos avant-bras pour se déplacer. Pourquoi ce besoin urgent de mettre les pieds par terre? Comme si elle sentait le besoin de rassembler son âme et son corps. Comme si elle craignait que son âme la quitte; comme si elle la voyait partir, s'envoler malgré elle. Que s'est-il vraiment passé? Cet incident me laisse songeuse.

Ayant retrouvé son calme, elle est prête à regagner son lit, prendre à nouveau une gorgée d'eau, nous laisser installer une fois de plus ses oreillers et le masque sur son visage. Elle cherche en vain la détente. Sa respiration est irrégulière, elle demande à boire, veut replacer un oreiller. Elle ne trouve pas le confort minimal qui lui permettrait de se laisser aller doucement dans les bras du dieu du sommeil.

– J'ai peur de m'étouffer, laisse-t-elle finalement tomber.

– Ne t'inquiète pas, nous sommes là, lui dis-je.

– Je vous aime beaucoup, mais c'est ma famille qui compte.

– Ce que je veux te dire Jocelyne, c'est que nous veillons sur toi et tu ne peux pas t'étouffer. Ta respiration est bonne; si tu as le moindre problème nous appellerons l'infirmière. Je comprends aussi que ton mari et tes enfants sont les plus importants pour toi. Tu vas tous les revoir, tu peux dormir tranquille.

Aujourd'hui, elle éprouve plus de difficulté à avaler et la peur de s'étouffer l'habite à certains moments, comme ce soir. Répondant à une ultime tentative pour induire chez elle un état de bien-être, elle accepte mon invitation à se laisser guider dans une visualisation.

– Tu marches dans la forêt, dans ta forêt, ton pas est lent. Tu regardes autour de toi cette belle nature que tu aimes tant. Regarde les arbres comme ils sont beaux, entends-tu l'oiseau chanter? Tu es chez toi ici et tu te sens très bien au milieu de cette belle nature. Tu respires bien, profondément, tu te sens en paix. Tu aimes sentir le sol sous tes pieds, tu te sens en sécurité. Tu aperçois ton hamac à quelques pas. Approche-toi, prends le temps de t'y arrêter pour te reposer. Comme tu te sens bien, étendue dans ton hamac. Tu es confortable. Tu sens le vent te caresser les cheveux. Tu te laisses bercer tout doucement, doucement. Le soleil est si chaud, tu le sens sur ta peau. Quel bien-être que d'être là à te reposer. Tu es totalement bien, tu te laisses aller en toute sécurité.

Elle se laisse porter par ses images mentales et le sommeil la gagne peu à peu. De mon côté, je me sens épuisée en cette fin de journée. J'ai passé la majeure partie de la journée avec ma sœur et mon énergie est à la baisse. Beaucoup d'émotions et une attention soutenue à veiller sur elle affectent ma résistance. Alors que je l'accompagne dans cette visualisation, j'aurais dormi de fatigue à ses côtés. L'amour de ma sœur me porte bien au-delà de mes limites personnelles, il m'aide à puiser dans mes ressources internes l'énergie nécessaire. Chez ma sœur France aussi, la fatigue gagne du terrain. Pour elle s'achève, comme à l'habitude, une semaine de travail intense auprès de ses jeunes élèves du primaire. Et des heures de veille auprès de notre sœur. Nous sommes installées de chaque côté du lit, cherchant toutes deux le repos tout en assurant une présence à ses côtés. Jocelyne sommeille à peine quinze minutes et à nouveau elle réclame de l'eau qu'elle avale avec une extrême précaution.

– Jocelyne, tes deux sœurs infirmières sont là et on t'aime beaucoup mais on est bien fatiguées, c'est le temps de dormir maintenant.

– Pis dire que je vais toutes vous manquer, laisse-t-elle échapper, une larme roulant sur sa joue.

C'est la première fois que nous la voyons pleurer.

Nous déneigeons le véhicule en vitesse. Une épaisse couche de petits flocons froids et immaculés nous ramène pour quelques instants à nos jeux d'enfants: lancer de la neige en essayant d'atteindre l'autre par surprise.

Silencieuses, nous reprenons la route vers la maison. Quitter l'hôpital est toujours un moment difficile. C'est quitter Jocelyne. C'est la laisser aux soins palliatifs. C'est reprendre contact avec la réalité du monde extérieur en sachant que Jocelyne, elle, ne peut sortir de sa bulle. À nouveau les événements de la journée demandent qu'on leur fasse de la place. Et nous voilà à ressasser chacun de ces moments. Pour les comprendre, les apprécier. « La première personne qui meurt dans une famille donne le ton sur la façon d'appréhender la mort. » Elle était donc très consciente du rôle qu'elle avait maintenant à jouer. Elle était préparée à cette tâche. Elle s'était préparée, avait lu sur la mort, s'était elle-même déjà laissé apprivoiser par l'intruse. Elle sait que la façon dont elle vit sa mort a et aura une grande influence sur la famille. En tant qu'aînée, elle n'a pas voulu laisser passer cette occasion de montrer le chemin. Quelque part en elle, elle a voulu être cette personne. J'en suis convaincue. Et cette sérénité qu'elle a décidé de développer, d'entretenir, c'est le cadeau qu'elle nous fait. Pour nous aider face à notre propre mort.

Le mari de France nous prépare un breuvage chaud et une rôtie pour soulager notre petit creux à l'estomac. Encore dans l'émotion de notre rencontre avec Jocelyne, intarissables, nous lui révélons notre sœur.

Minuit. La fatigue est là, bien présente dans nos corps, et pourtant nous repoussons le moment d'aller au lit. France suggère de sortir prendre l'air frais de la nuit. Le froid intense nous pénètre malgré nos manteaux chauds et notre marche rapide. Qu'importe. Nous avons vraiment besoin de cet exercice pour nous oxygéner, libérer totalement notre esprit avant d'aller dormir.

Samedi. La nuit est réparatrice et le sommeil s'étire jusqu'en matinée. La photo que j'ai apportée pour Jocelyne n'est toujours pas agrandie. France et moi en profitons donc pour choisir dans ses albums d'autres photographies représentant tous les membres de la famille. Nous pourrons les faire traiter par la même occasion. Ma sœur nous prépare un goûter car nous serons à l'hôpital jusqu'en fin de soirée. France pense à prendre un nouveau disque qu'elle fera entendre à Jocelyne.

À notre arrivée en tout début d'après-midi, elle est assise dans le fauteuil, calme et sereine. Jocelyne étant dotée d'une personnalité extravertie, nous avions l'habitude de ses grands gestes d'accueil, de sa voix chaleureuse. Désormais, un petit sourire, ses yeux qui nous parlent, et nous comprenons qu'elle est contente de nous voir. Notre accolade est mesurée. Elle est très sensible au niveau de la cage thoracique. Toute pression à ce niveau est douloureuse. Nous devons nous contenter d'effleurer son corps pour lui transmettre notre énergie d'amour. Nous nous empressons de montrer à Jocelyne les photos sélectionnées pour elle.

– J'ai besoin de mes lunettes, dit-elle, d'une voix dont on sent qu'elle s'éteint peu à peu.

Sa vue est brouillée par l'onguent régulièrement appliqué pour contrer l'assèchement de ses paupières. Elle scrute les images, cherche l'angle idéal pour faire la mise au point. Elle observe longuement ces souvenirs d'un passé pas si lointain. Le party de «Bonne retraite seulement» l'été dernier: toute la famille est là chez elle, tous les frères et sœurs, beaux-frères et belles-sœurs, et nombre de nos enfants. Lors d'une fête de Noël il y a quelques années: maman et ses quatre filles, nous les quatre sœurs encore réunies. Notre frère Denis, avec elle déguisée en Jojo Savard. En visite chez Frédéric, elle et lui sur la galerie de son chalet. Elle et moi dans nos manteaux et chapeaux d'hiver.

– J'avais hâte de te montrer cette photo de nous deux. Tu t'en souviens?

Elle hoche la tête. Nous cherchons à commenter, à animer, mais elle, elle regarde toutes ces photos en silence, longuement, comme devant de très beaux tableaux dont elle veut conserver précieusement le souvenir.

On vient nous demander de prendre un appel téléphonique au petit salon. Martin confirme l'arrivée de sa fille demain dimanche à dix-neuf heures trente. Pour ce qui est de son emploi, Marie-Chantal serait encore sous le coup de l'émotion devant l'attitude de son patron. « C'est ta mère. T'en as juste une. Vas-y et reste au Québec le temps qu'il faudra. La job peut attendre. » De retour à la chambre, nous annonçons à Jocelyne l'arrivée de Marie-Chantal et celle de Claudine pour le même jour. Elle laisse tomber un profond soupir de soulagement.

Ma sœur France veille à la chambre. J'en profite pour utiliser le téléphone du petit salon alors que j'y suis seule. Ma famille me manque et j'ai le goût de jaser un peu avec les personnes que j'aime. Je rentre habituellement trop tard à la maison et le matin mon monde quitte tôt pour le travail ou les études. Puisque c'est samedi, c'est le temps de prendre contact. Je suis heureuse d'entendre la voix chaude et aimante de Gabriel, les voix enjouées de Anne et Ève. Je suis contente de savoir que la maisonnée se porte bien et, consciente des événements, s'ajuste face à mon absence. Je partage ma peine : nous nous attendons à ce que Jocelyne puisse nous quitter rapidement après l'arrivée de Marie-Chantal et Claudine. Je pense à mes amies. Je n'ai pas pris le temps de leur parler dans les dernières semaines. J'ai besoin de les sentir avec moi, de me sentir appuyée de leur énergie même à distance. Je pense à ma belle-famille. J'ai le goût que tous ceux que j'aime m'envoient cette énergie dont j'ai de plus en plus besoin, à chaque jour, alors que la fatigue gagne du terrain sur mon corps. Je fais la liste des personnes à contacter ; mon mari se charge de bonne grâce de leur téléphoner. Je ne sais pas encore quand je reviendrai à la maison.

À mon retour auprès de Jocelyne, France fait l'éloge de notre sœur alors qu'elle l'aide à se déplacer.

– T'es une vraie sainte !

– Ben voyons donc. Je m'en fous pas mal de l'auréole.

Ses paroles nous laissent clairement entendre qu'elle n'est pas mue par une image à défendre. France poursuit :

– J'aurais jamais pensé venir ici aux soins palliatifs et être capable de vivre ça de cette façon-là. C'est toi qui nous aides.

Jocelyne rétorque :

– T'es beaucoup plus forte que tu penses, France.

Elle a bien raison, Jocelyne. Cette force en nous, c'est l'amour qui nous fait repousser la peur.

Installée dans son fauteuil près de la fenêtre, Jocelyne dort tout l'après-midi d'un sommeil profond et bienfaisant. Le store bat au vent par la fenêtre entrouverte. Nous tolérons très bien nos vestes de laine en ce mois de janvier et elle, la malade, ne bouge pas. Même avec ce coup de vent subit qui claque la porte et nous fait tressauter. Elle ne prend pas ses médicaments à l'heure prévue, personne n'osant la déranger dans ce moment très rare de bien-être.

Dix-huit heures trente. Jocelyne est toujours dans son fauteuil, jambes allongées. Elle n'a pas touché au cabaret du souper déposé devant elle. Son sommeil de l'après-midi lui a été bénéfique et on la sent plus présente, malgré sa voix qui se casse de plus en plus. Je suis affamée, le yogourt avalé vers quatre heures cet après-midi ne me suffit plus. France est allée se chercher un muffin à la cafétéria un peu plus tôt. Nous attendons la relève des anges gardiens pour manger ensemble le goûter préparé ce matin et nous reposer par la même occasion. Comme je n'ose ouvrir pour moi seule ce fameux jus de fruits apporté spécialement pour Jocelyne par Martin, j'invite mes sœurs à *boire un verre ensemble*. L'idée plaît bien et France apporte de la cuisine de petits verres de plastique transparent.

– Je vais en profiter pour te faire écouter un beau disque d'Angèle Dubeau, se rappelle tout à coup France. Je l'ai apporté spécialement pour toi, tu vas l'aimer.

Afin d'obtenir un meilleur son pour nous trois, France entreprend de déplacer la mini-chaîne audio et l'installe tout près du téléviseur.

– C'est ça, tout le culturel ensemble, lance Jocelyne comme si elle était en train de faire la mise en scène de cette rencontre mémorable qui s'annonce, sans qu'aucune d'entre nous n'en ait la moindre conscience.

Nous nous assoyons près d'elle, lui faisant face, chacune d'un côté de son fauteuil. Avant de boire notre jus ensemble, je propose à Jocelyne de prendre ses médicaments de l'après-midi sans plus tarder, car ils agissent sur la douleur.

– Tiens, prends-les avec un bon verre d'eau bénite de Saint-Gérard, lui dis-je en m'approchant avec l'eau.

– C'est quoi ça, *l'eau bénite de Saint-Gérard*, demande France qui n'a pas encore eu l'occasion d'entendre cette expression.

Jocelyne s'empresse de répondre. D'une voix lente et chantante à la fois, avec un timbre de voix feutré, elle pèse ses mots, fait des pauses, comme si elle dévoilait un secret. Elle se penche sur la gauche, tente d'amener son bras sous sa chaise pour illustrer son propos.

– *Ça là*, c'est une eau qu'on va cueillir *dans* un ruisseau, *sous* un pont, *à* Saint-Gérard...

– Ah oui! s'exclame ma sœur qui boit les paroles de cette raconteuse sans se douter de l'arnaque.

– Voyons donc, France, tu vas pas croire tout ce que je te raconte, dit-elle cette fois d'une voix plus enjouée.

Nous nous esclaffons toutes les trois, y compris Jocelyne. Elle se tient les côtes en sentant la douleur se pointer et finit par ajouter:

– Si au moins je n'avais pas les seins qui pèsent sur ma poitrine.

– Eh bien moi je n'ai jamais connu ça, des gros seins ! dit France pour faire diversion.

– Tu veux voir ce que ça a l'air ? Tiens, regarde.

Elle détache les cordons légèrement noués à son cou et sans aucune pudeur laisse tomber sa jaquette devant elle, dévoilant ses seins volumineux.

– Tu vois, ça tombe. C'est ça que ça fait. C'est la loi de la pesanteur. Pas l'apesanteur, mais la pesanteur, dit-elle en pesant bien chacun des mots.

Alors qu'elle relève sa jaquette, je fais un commentaire qui a dû lui faire penser que je ne comprenais pas bien car elle commence à m'expliquer dans le détail la différence entre les deux mots. C'est plus fort que moi, je suis fascinée par ce désir qu'elle a toujours manifesté de clarifier le sens de ses propos, de trouver le mot juste et surtout de partager ses connaissances, quel que soit le sujet en cours, si elle pensait être utile à quelqu'un. Son habitude de consulter le dictionnaire sur toute question faisait d'elle une championne au Scrabble. Elle finit par me dire avec une pointe d'humour :

– Bon, Gaétane, si tu ne comprends pas encore, tu demanderas à Gabriel de t'expliquer ça.

Elle prend une première pilule, puis une deuxième.

– Dire qu'en mourant la maison va être payée, soupire-t-elle, mais j'aimerais mieux vivre quand même...

France et moi échangeons un bref regard. Sa lucidité nous trouble. Jocelyne se montre tout à coup frustrée devant le troisième comprimé que je lui présente.

– Tu m'avais dit qu'il y en avait deux seulement, dit-elle un peu découragée.

Elle a toujours tenu à avoir le contrôle sur sa médication et n'a pris aucun médicament sans demander ou savoir déjà de quoi il s'agissait au juste, réussissant même dans son état à suivre la trace alors que je n'y arrive pas.

– Non, non, je n'ai pas dit cela et il y en a deux autres à prendre, car tu as dormi tout l'après-midi, dis-je pour lui donner l'heure juste.

– Heureusement que ce n'est pas Martin qui doit avaler ces pilules, car on serait ici pour toute la nuit, de dire France sur un ton humoristique.

– Comment ça? dis-je, ne saisissant pas bien ce qu'elle veut laisser entendre.

– Montre-lui, dit Jocelyne.

Et là France m'explique que Martin a beaucoup de difficulté à avaler une pilule et qu'il s'y prend à plusieurs reprises.

– Non, non, montre-lui, reprend-elle, insistante, en touchant le bras de France.

– Ben non! rétorque France.

– Oui, oui, fais-le, persévère Jocelyne.

Ma sœur s'exécute alors sans grande conviction en simulant d'avaler avec difficulté.

– Non, non, ce n'est pas comme ça, dit Jocelyne en traînant la voix.

D'un geste décidé, elle feint de porter une pilule à sa bouche, s'élance la tête loin vers l'arrière dans un mouvement saccadé et répété comme pour faire passer la pilule dans la gorge, plie son corps en deux vers l'avant comme pour se donner un meilleur élan et à nouveau refait son manège s'élançant la tête et le dos vers l'arrière en faisant semblant d'avaler la fameuse pilule. Nous sommes pliées en deux. Son geste inattendu et exécuté avec tant de brio nous fait éclater d'un grand rire contagieux qui atteint Jocelyne. C'est bien elle, elle ne fait jamais les choses à moitié. Elle prend plaisir à cette moquerie et semble contente de l'effet qu'elle a produit. Nous nous étonnons sans le dire qu'elle ait pu se pencher de cette façon, et maintenant ricaner avec nous, sans ressentir une forte douleur. J'ai découvert depuis que le plaisir anesthésie la douleur!

France enclenche finalement le lecteur de disques pour nous faire écouter l'enregistrement qu'elle a apporté : *Angèle Dubeau et La Pietà, Berceuses et jeux interdits*. Enfin nous pouvons boire notre jus ! Les premières mesures de violon de la *Berceuse* de Brahms se font entendre, se répandent dans la pièce pour nous faire oublier où nous sommes.

– Ah ! C'est beau ! laisse échapper Jocelyne.

Nous écoutons, toutes entières à ce moment de pure beauté.

– Ah ! C'est beau !

Jocelyne est en pleine extase, sa voix se fait légère, elle soupire d'aise. Elle semble être dans un tel état de grâce que je crains qu'elle nous quitte sur-le-champ, qu'elle s'envole, envoûtée par cette mélodie céleste.

– C'est tellement beau ! On va passer notre temps à dire que c'est beau et on ne pourra pas parler, renchérit-elle à nouveau.

Parler... Moi aussi j'ai le goût de cet échange.

– Levons nos verres et...

J'allais dire « Portons un toast à notre santé... » Je continue en ajoutant :

– Buvons, chacune en disant ce à quoi nous voulons boire.

Jocelyne commence de sa voix basse et chantante :

– Moi, je bois à la sororité. Oui, oui, c'est un mot qui existe, vous verrez dans le dictionnaire. Je lève mon verre à l'amitié qui existe entre nous trois. J'ai senti votre amitié. J'étais bien avec vous. Je vous ai toujours beaucoup aimées. Je suis contente que vous ayez été mes sœurs.

Sa voix est pleine d'émotion, de tendresse. « Vous verrez ! » Elle sait que nous continuons, que nous serons là même si elle part. J'essaie de retenir chacune de ses paroles, je veux conserver ce message d'amour que je reçois.

– Moi, je veux faire un souhait, dis-je à mon tour.

Une des raisons qui m'aide à accepter le départ de ma sœur est la croyance qu'elle *sera* ailleurs. C'est le temps où jamais de lui demander de me signaler sa présence.

– Je souhaite, Jocelyne, que lorsque tu seras là-haut tu puisses nous faire un signe, à France et à moi. Un signe qui nous confirmera que c'est toi, que tu es rendue et que tu es bien.

– Je veux un signe, mais fais-moi pas peur, fais attention à ce que tu vas m'envoyer, précise France qui se retrouve malgré elle impliquée dans cette demande.

Absorbée par cette requête, très lentement, pesant bien chacun de ses mots, elle concède, d'une voix très modulée :

– Hum... j'ai lu là-dessus... je pense que je vais être capable.

Puis, avec une tout autre intonation, elle s'empresse d'a-jouter :

– Mais il faut que tu me promettes de me laver les cheveux.

– Oui, oui, demain, c'est sûr.

Je devais lui laver les cheveux cet après-midi avec l'aide de l'infirmière, mais comme elle a dormi tout ce temps, je n'ai pu passer à l'action. En plus d'avoir une bonne mémoire elle conserve toujours son sens de l'humour ! France enchaîne en levant son verre à son tour.

– Moi, je veux te remercier pour ta sagesse, pour m'avoir donné le goût du beau. Tu m'as beaucoup appris. Tu m'as appris à pardonner et pour cela je te remercie beaucoup. Tu as partagé avec nous tous ta sagesse, ce que tu apprenais, et tu nous faisais cheminer nous aussi. Je n'oublierai jamais cela.

À la fois comblées par ce moment d'intimité avec Jocelyne et chagrinées d'avoir à faire nos adieux, France et moi retenons nos larmes, refusant d'être submergées par notre peine afin de goûter plus longtemps le moment présent. Puis ce sont les embrassades et les *Je t'aime. Moi aussi.*

La porte s'ouvre. Frédéric et Benoît arrivent pour être ses anges gardiens pour la nuit. Jocelyne leur fait un geste de la main, leur signifiant que ce n'est pas le moment d'entrer. Elle reconnaît tout à coup la pièce musicale et cherche le titre avec

France, à qui le thème est aussi familier. Jocelyne fredonne quelques notes discordantes et finit par identifier la pièce *True Blue Heart*, l'indicatif de l'émission *Ciné-club*, en ondes il y a plusieurs années. Elle a toujours cherché à nommer ce qu'elle connaissait, sa mémoire encore une fois la soutient. Elle a toujours aimé la musique. C'est grâce à elle que j'ai connu les chansonniers québécois, savouré l'univers de Claude Léveillée. C'est auprès de Jocelyne que j'ai entendu mes premiers airs de musique classique avec les interprétations de Mantovani sur «le stéréo» du salon, du temps de ses fréquentations avec Martin.

Alors que nous nous laissons envelopper par cette harmonie des sons autant que des sentiments, la vue de Frédéric me ramène au geste qu'il a posé hier. Je veux en parler à Jocelyne. Je suis tiraillée. Je sais bien qu'il ne veut pas que nous en parlions. Je ne veux pas manquer à ma parole. Mais le moment est propice, même en présence de France à qui je ne devrais pas le dire. Jocelyne est là, elle va partir bientôt. Je veux qu'elle sache. Je sais que l'intention associée au cadeau de Frédéric à Marie-Chantal lui fera extrêmement plaisir. Je me décide enfin.

– Frédéric avait demandé de garder le secret, mais je veux que tu le saches. Frédéric a offert de payer son billet de voyage à Marie-Chantal afin qu'elle arrive le plus tôt possible auprès de toi.

– Ah oui ?! fait-elle, surprise par cette information.

Elle est absorbée par ses pensées. Je sens qu'un grand bonheur l'habite. Je la vois, sans qu'elle-même y porte la moindre attention, ramener lentement de sa main gauche le petit drap blanc à ses pieds. Je pense alors qu'elle veut se couvrir et suis surprise de cela car elle a toujours trop chaud. Elle continue, comme si son geste n'était pas guidé par une volonté consciente, de tirer le drap à petits coups. Elle le porte légèrement derrière son épaule, cherchant, puis réussissant à l'accrocher au cou, sous l'envers de sa jaquette. Elle déplace ses jambes, les croise légèrement en écartant les genoux et y dépose ses mains ouvertes. Puis elle se redresse le dos. D'une voix forte et continue, que nous n'avons pas entendue depuis longtemps, elle déclare :

— *Moi, qui toute ma vie ai eu peur de manquer d'amour* et d'argent, *je rends grâce aujourd'hui car je reçois en ce moment toute l'Énergie de l'Univers dont j'ai besoin.*

Je la regarde. Son drap blanc drapé sur sa jaquette bleue d'hôpital. Je l'écoute. Je me dis « Ancre ses paroles, Gaétane, ancre ses paroles. » Son geste est d'une si grande beauté, d'une si forte intensité. Je suis envoûtée. Je fais signe à ma sœur France, je fais des gestes pour qu'elle remarque l'aspect de son vêtement. Elle ne semble pas comprendre, puis elle voit, elle aussi. Son habillement rappelle la tunique de Gandhi. Jocelyne est absente. Elle est ailleurs et n'a pas conscience de notre présence. Elle semble tellement légère, on croirait qu'elle va s'élever. Elle est d'une telle beauté. Consciemment, je me remplis de cette image. Son corps et sa tête sont bien droits, avec ses jambes croisées devant elle, ses mains ouvertes posées sur ses genoux. Ses cheveux sont relevés en chignon au-dessus de sa nuque. Elle a les yeux fermés. Son visage est radieux, sa peau lisse dévoile ses traits fins. Son visage irradie d'une énergie intérieure qui se propage dans tout son corps. Je reçois les vibrations de cette connexion spirituelle très intense. Je sens que cette énergie d'Amour avec laquelle Jocelyne établit un contact si étroit se diffuse jusqu'à nous. Je regarde ma sœur France, les larmes coulent sur ses joues. Nous vivons un moment extraordinaire, unique. Un autre cadeau de Jocelyne. Après un moment durant lequel elle maintient cette formidable énergie, elle ouvre les yeux.

— T'es tellement belle, Jocelyne. Je ne sais pas ce que c'est, mais on dirait que tu es... une *gandhienne* ou une *gandhiesse.*

Je suis tellement excitée par ce que je vois que je n'arrive pas à mettre un nom sur cette image. Ma sœur me fait penser à Gandhi, au féminin !

— Ben voyons donc, fait-elle de sa voix qui traîne à nouveau, ne semblant pas réaliser ce qui vient de se passer.

Tout à coup elle est très fatiguée.

– Bon, je pense que le party est fini, murmure-t-elle.

L'une d'entre nous va chercher Frédéric et Benoît qui attendent depuis déjà un bon moment, puis nous les laissons ensemble.

Au petit salon, nous nous installons pour manger le lunch préparé par France ce matin. Nous sommes encore dans l'atmosphère de « notre party de filles. » C'est ainsi que je finis toujours par appeler cette rencontre à trois extraordinaire. Nous nous remémorons le déroulement de cette expérience qui nous interpelle à plus d'un niveau. Sa capacité de vivre le moment présent plutôt que de pleurer sur son passé. Sa lucidité face aux conséquences financières de sa mort. Son sens de l'humour qui ne la quitte pas ; elle est tout de même aux soins palliatifs, non ! Son désir toujours présent de nous apprendre quelque chose. Cette capacité qu'elle a développée ces dernières années de dire les choses telles qu'elles sont. Cette capacité de se laisser toucher par l'Amour. Cette capacité d'élever son niveau d'énergie pour nous livrer son témoignage de gratitude envers l'Univers.

– Elle avait l'air d'un vrai Gouddha !

– Tu veux dire « gourou », reprend ma sœur en riant.

– Ah ! C'est le mot que je cherchais, dis-je, un peu confuse de m'être trompée. En même temps, je pensais qu'elle ressemblait à Gandhi ou Bouddha, avec toute l'Énergie qu'elle dégageait dans sa posture et sa jaquette bleue drapée de blanc comme un moine. Gandhi, Bouddha, Gouddha.

Pour moi, elle est Gouddha ! *Ma sœur Gouddha.*

Nous retournons auprès de Jocelyne pour la saluer avant notre départ. Frédéric lui propose alors de faire une petite marche dans le corridor, histoire de changer d'air un peu, ce qu'elle accepte, à ma grande surprise. Un peu à l'écart, France raconte à Benoît les moments passés auprès de sa mère.

Frédéric à sa droite, j'offre mon bras à Jocelyne pour les accompagner, puis je demande à Frédéric de changer de place avec moi.

— Qu'est-ce que tu as, Gaétane? me demande-t-elle, pourquoi pas le bras droit?

J'essaie tant bien que mal de cacher ma situation. Je ne veux pas lui dire que j'ai mal au bras, car elle se sentirait inconfortable que je l'aide dans ses déplacements et je considère que ce malaise est bien bénin à côté de ses souffrances. Plus d'une fois je l'ai entendue dire qu'elle ne voulait pas que personne se blesse en l'aidant. Je finis par lui dire que c'est un pur caprice de ma part, tout en sachant bien que je ne l'ai pas convaincue.

— Veux-tu prendre mon fardeau, Frédéric?

Frédéric se sent interpellé de l'intérieur par cette question qu'il n'est pas certain de saisir.

— Qu'est-ce que tu dis? demande-t-il, alors que Jocelyne perçoit qu'il faisait erreur sur la nature du fardeau.

— Tu pensais que je te demandais de prendre ma maladie, n'est-ce pas? dit-elle de sa voix faible mais sûre d'elle, comme elle l'a toujours été quand elle lisait dans l'émotion de l'autre.

Frédéric a beau nier, il pensait bien qu'elle faisait allusion à sa maladie en parlant de fardeau. En réalité, elle souhaite qu'il prenne sur son épaule *la pompe* qu'elle porte maintenant en permanence sur elle. Le poids de ce dispositif sur sa propre épaule représente un fardeau dont elle souhaitait que Frédéric prenne la charge. Ce qui me frappe alors, c'est comment elle reste lucide, malgré toute la médication qu'elle reçoit, percevant nos moindres réactions. Elle porte encore en elle son souci pour nous! À petits pas, ses pieds lourds traînant sur le plancher telle une plainte incessante, nous déambulons dans le corridor. Je la trouve si courageuse alors que, malgré son corps meurtri, elle a la volonté de marcher jusqu'au petit salon. Nous y faisons un arrêt et elle prend le temps d'admirer un petit arbuste en pot, un cerisier rempli de fruits. Une femme d'un grand courage, pour qui la vie sous toutes ses formes a toujours été digne d'intérêt.

Tous les quatre debout autour d'elle, maintenant alitée, France et moi nous apprêtons à la quitter. D'une voix rauque, à peine audible, elle murmure :

– Il ne reste que quelques instants.

Un vent de panique tombe sur la pièce. Nos regards se croisent. Je lis la terreur dans le regard de France et je la vois faire signe à Benoît de sortir avec elle, ce qu'il fait. Je suis paniquée moi aussi. D'un ton ferme qui se veut rassurant, je martèle :

– Non, non, Jocelyne. Il te reste encore du temps.

Je ne sais pas ce qu'elle dit exactement, si elle divague ou si elle sent la mort venir, mais j'ai peur. Peur qu'elle nous laisse comme ça, alors que Marie-Chantal arrive demain.

Elle semble revenir parmi nous, sa respiration normale nous rassure et elle accepte l'eau que Frédéric lui offre. Une fois notre émoi passé, Frédéric et moi entreprenons de l'installer confortablement dans son lit en prévision de la nuit. Nous ajustons la position du matelas pour le dos et les jambes, plaçons les oreillers sous le dos, les bras et les mollets pour soulever ses talons douloureux. Elle se retrouve les talons enfoncés dans le pied du lit. Nous avons beau chercher l'erreur, il nous faut un certain temps pour réaliser que son matelas est descendu trop bas sur le sommier. Comment le relever sans avoir à demander à Jocelyne de se déplacer, ce que nous ne voulons absolument pas faire. Avec ses six pieds, Frédéric ne se laisse pas impressionner par la situation et me propose de soulever le matelas avec Jocelyne dessus en l'agrippant par les côtés. L'idée est bonne, mais pas avec moi comme levier ! Je vais chercher Benoît qui me remplace auprès de Frédéric.

– Une, deux, trois, swing ! fait Frédéric pour guider leur geste énergique.

Bien qu'informée de la démarche en cours, Jocelyne sent le besoin de toucher la tête de son lit alors que Frédéric la taquine :

– Encore un peu et tu passais dans la pièce à côté !

L'image s'imprime dans ma tête et les mots y résonnent tandis que je me rappelle les paroles du texte trouvé au babillard de l'unité : *La mort n'est rien, je suis seulement passé dans la pièce à côté.* Elle pourrait être dans l'autre pièce, la chambre à côté et pourtant elle serait toujours là, même si je ne la voyais pas ! Elle aurait pu *passer dans la pièce à côté* un peu plus tôt. Vais-je sentir sa présence lorsque je ne la verrai plus ?

J'embrasse ma sœur en la quittant, non sans me demander si je pourrai lui parler à nouveau demain. Benoît et Frédéric sont ses anges gardiens pour la nuit ; elle se sentira bien entourée une fois de plus. Je retrouve ma sœur France avec Linda, l'infirmière, à qui nous racontons le témoignage de Jocelyne.

– Votre sœur vous a fait un très beau cadeau, elle pourrait décider de partir maintenant.

Elle nous raconte que certains mourants décident du moment précis de leur départ. Elle nous parle de cet homme qui souhaitait mourir seulement lorsqu'il aurait assisté, pour une première fois de sa vie, à une partie de hockey de son équipe favorite. Il a acheté son billet quelques jours d'avance. L'équipe des soins se demandait s'il tiendrait le coup jusque-là. Le jour venu il est allé à sa partie de hockey à Montréal et le lendemain il est parti, comme il l'avait décidé ! Bien que je ne veuille pas faire monter la tension des deux gars, je sens le besoin de mettre mon frère au courant de notre conversation pendant que France et Benoît sont auprès de Jocelyne. Malgré la tension que cela peut impliquer, il préfère savoir à quoi s'en tenir.

Sur le chemin du retour, France et moi sommes encore sous le charme de notre sœur. Elle dégage une telle sérénité, une telle force, une si grande sagesse. Nous nous plaisons à dire qu'elle n'a pas cinquante-trois ans, mais cent six. Elle a vécu à double vitesse toute sa vie, sauf peut-être depuis son installation dans sa nouvelle maison. Elle nous donne l'impression de posséder une sagesse intérieure qu'elle ne possédait pas auparavant ou du moins que nous ne percevions pas. Cette maîtrise de soi devant la maladie, devant la mort qui se bouscule à sa porte alors qu'il y a moins d'un mois elle ne connaissait même pas le nom du mal qui l'emportera. Où puise-t-elle cette faculté qui nous surprend, nous émeut ? Comment en arrive-t-elle à se détacher de la sorte, elle qui vivait un réel attachement pour tout ce qu'elle aimait ?

– C'est une vieille sage, me dit ma sœur.

À la voir au fil des jours, je me dis que cette Jocelyne est plus sage encore que cette sœur que j'ai côtoyée ces dernières années. Comme si elle allait puiser toute cette connaissance, ces ressources face à la mort dans... des vies antérieures.

– C'est Jocelyne, mais pas seulement celle que nous connaissons, c'est Jocelyne notre sœur avec toutes ses vies antérieures.

Elle conserve certains éléments de sa personnalité mais, en même temps, j'ai l'impression d'être devant quelqu'un d'autre, une âme avant tout. Pourquoi cet étrange sentiment, si difficile par ailleurs à expliquer ? C'est la sagesse, le détachement, au beau milieu d'une chambre de l'unité des soins palliatifs, de cette personne, notre sœur, qui, il y a à peine quelques semaines, démontrait tellement d'intérêt pour tout ce qui faisait sa vie, les nombreuses personnes qu'elle aimait, son projet pour les personnes atteintes du cancer, son travail de psychothérapeute et de formatrice, sa maison remplie de beaux objets qu'elle chérissait, les nombreuses activités qui la nourrissaient. Comment une telle personne peut-elle arriver à se détacher ainsi, si rapidement ? Même en admettant que la morphine joue un rôle de relaxant, Jocelyne est d'une telle lucidité dans ses propos, d'une sérénité qui force la nôtre à émerger. Comme si elle avait déjà un pied dans la pièce à côté. Comme si le corps cédait peu à peu la place à l'âme, pour lui laisser éventuellement toute la place. L'âme qui sait bien, elle, qu'elle n'est que de passage dans ce corps. Son âme est prête. Son âme a une expérience de ces choses-là, car il ne s'agit pas de la première fois, il ne s'agit pas du premier départ à être effectué. «Toute ma vie je me suis préparée à mourir», m'a-t-elle dit. Apprendre à mourir faisait-il partie de ces leçons qu'elle est venue recevoir en cette incarnation? Je pense, Jocelyne, que tu es passée d'élève à maître. Ton enseignement nous apprend à nous rapprocher de notre âme. Notre sœur, une âme avec toute la richesse de ses vies antérieures. Notre sœur, une âme qui s'est reconnue avant même de quitter cette dimension terrestre. Le respect que sa compagnie nous inspire parle haut et fort de la vibration de cette âme, de son Énergie parmi nous.

Le sommeil ne vient pas. «Notre party de filles» défile encore dans ma tête, comme un beau film que je veux revoir encore et encore pour fixer chacune des images. Continuer de laisser surgir en moi, intuitivement, le sens profond de ce que nous avons vécu ensemble. Prendre conscience de cette capacité d'élever son niveau d'énergie pour nous amener toutes les trois dans une tout autre dimension, dans la dimension de l'Amour. Nous étions baignées dans une énergie d'amour qu'elle est allée puiser au plus profond d'elle-même, là où l'on va à la rencontre du divin en nous. Nous pouvions sentir cette connexion intérieure intense qui me faisait croire qu'elle allait s'élever, tellement son être me semblait léger, et se rapprocher de la Lumière. Et c'est le geste d'amour de Frédéric qui déclencha chez elle ce sentiment de reconnaissance qui allait la mener à l'extase.

J'ai la conviction que ce que nous vivons avec elle aux soins palliatifs, ce qu'elle nous fait vivre, n'a d'autre but que de nous aider à apprivoiser sa mort, à dédramatiser la mort. À la toute fin de sa vie je prends pleinement conscience à travers ce qu'elle fait et ce qu'elle a fait pour nous à quel point Jocelyne jouait un rôle de leader dans notre famille. Elle était celle qui amorçait les mouvements, suscitait la participation, faisait le lien entre les membres de la famille, celle qui avait un intérêt marqué pour la famille. Aujourd'hui elle nous rassemble, nous *ré*unit en tant que famille, nous rappelle à notre groupe d'appartenance, celui que nous avons choisi au moment de notre incarnation. Aujourd'hui elle est celle qui initie notre famille à la mort, à son sens véritable. Elle en est pleinement consciente. N'a-t-elle pas dit à Frédéric lors de cette rencontre mémorable : « La première personne qui meurt dans une famille donne le ton sur la façon d'appréhender la mort. » Sa mort nous questionne, sa vie nous questionne. Elle nous fait faire le pont entre les deux en nous révélant encore plus intensément sa vie spirituelle, sa croyance en une Autre vie, le détachement nécessaire pour y parvenir avec sérénité.

L'évidence me saute maintenant aux yeux, dès lors que je rassemble toutes les images visionnées depuis mon départ de l'hôpital : cette âme s'était donné comme mission d'élever notre niveau de spiritualité. Après avoir d'abord elle-même cheminé sur cette Voie, elle a travaillé dans les dernières années de sa vie à nous apprendre la spiritualité au quotidien. En nous proposant des lectures, des réflexions, des échanges, mais surtout en nous donnant la chance d'être témoin, non pas de sa démarche, très intérieure, mais de son évolution spirituelle dont nous pouvions ressentir les vibrations sans nécessairement pouvoir identifier ce dont il s'agissait. Puis, en l'espace de quelques jours, elle a soulevé très grand le voile sur sa dimension spirituelle pour la révéler à ceux qui la côtoient aux soins palliatifs. Me la révéler, me fasciner, me questionner, me guider. Changer de l'intérieur ma perception face au voyage terrestre. Croire en l'Autre vie, celle de l'Âme, la mère, porteuse de toutes nos vies. Apaisée, sereine, je me laisse glisser vers un sommeil bienfaisant.

6

Dimanche. Au réveil les paroles de l'infirmière se bousculent dans ma tête. « Votre sœur vous a fait un très beau cadeau, elle pourrait décider de partir maintenant. » Est-ce que Jocelyne est toujours vivante ? Je pense à Frédéric et Benoît qui passaient la nuit avec elle. Après un moment de panique, je me sécurise rapidement en me disant que nous aurions reçu un téléphone s'il s'était passé quelque chose. Puis, je n'ai qu'une idée en tête : j'ai promis à Jocelyne que j'allais lui laver les cheveux. Vers les huit heures, j'appelle l'infirmière aux soins palliatifs pour prendre rendez-vous afin de recevoir son aide. Les cheveux doivent être lavés en permettant à ma sœur de rester dans son lit ; l'activité doit prendre place alors que le personnel n'est pas surchargé par les soins médicaux. La période aux environs de midi lui convient.

Lorsque j'arrive à l'unité sur la fin de l'avant-midi, Frédéric m'informe que Jocelyne a très mal dormi. Son énergie est vraiment basse. Je la sens très faible et très lasse, son corps amorti. Ses yeux manquent de cette vitalité qui les habitait encore hier. Je ne vois pas comment nous allons pouvoir lui laver les cheveux.

– Je suis désolée, Jocelyne, mais je pense que tu es vraiment trop faible pour que je te lave les cheveux comme je te l'avais promis.

Puis je pense à son engagement en lien avec le mien.

– Mais je voudrais quand même que tu me fasses un signe.

– Franchement, Gaétane, penses-tu vraiment que c'est ça qui va m'empêcher de te faire signe ?

– Je ne veux pas prendre de chance, dis-je à la blague. Si je te recoiffais à la place, ça irait ?

– Oui, oui, fait-elle, contente de ma proposition.

Avec précaution, pour lui éviter tout inconfort, je passe doucement le peigne dans ses cheveux, puis les remonte en les attachant sans trop les tirer. Je me souviens d'un mouvement un peu trop rapide de ma part peu après mon arrivée ; je lui avais effleuré la poitrine du côté gauche où se loge son mal et elle en avait ressenti une douleur. J'ai appris depuis à bien doser mes gestes. Elle demande à boire. Depuis hier, boire au verre est plus difficile. Elle commence à avoir la bouche encore plus sèche. En l'absence de mouvement, son système pulmonaire fonctionne au ralenti et les sécrétions, qu'il est incapable d'éliminer, s'accumulent. Elle craint de s'étouffer lorsqu'elle boit. Une grosse seringue tient lieu de contenant et permet un meilleur contrôle du débit d'eau.

– Je ne sais pas si je vais pouvoir attendre Marie-Chantal.

– Mais oui Jocelyne, tu y es arrivée. Marie-Chantal va être là dans quelques heures.

– Ne laisse personne d'autre que toi me mettre de l'eau dans la bouche.

En entendant ces paroles, je reçois toute la confiance en moi que ces mots renferment. En même temps, je reçois toute la peur qui y est associée. Et toute la responsabilité qu'elle veut que je prenne !

– Tu es en sécurité, Jocelyne. Chaque personne ici prend très bien soin de toi. Tu es en sécurité.

Sa fille Hélène et moi sommes maintenant ensemble à son chevet. Jocelyne se remémore les membres de la famille qu'elle a rencontrés depuis son entrée aux soins palliatifs.

– Je n'ai pas besoin de les revoir. Mais je n'ai pas vu Ruth, elle peut venir avec Frédéric.

Elle, si attachée aux gens qu'elle aime! Je sens qu'elle fait ses adieux, elle se prépare à quitter. Elle poursuit son détachement. Puis, très lentement, d'une voix à peine audible à laquelle nous devons porter toute notre attention, elle demande:

– Apportez une caméra. Puis mon bouddha.

Hélène décide de prendre du papier, sachant que sa mère est en train de reprendre une de ses bonnes habitudes: faire une liste.

– Apportez de l'eau. Pas trop d'eau. Un petit bol. Ma chandelle de baptême du curé Lafond. Dans le tiroir du vaisselier. Si vous ne la trouvez pas, prenez celle d'un des enfants.

Puis, après un bref moment de réflexion:

– Non, non. Ma chandelle de baptême, insiste-t-elle.

Je sens bien qu'elle prépare un rituel. Elle nous dit qu'elle veut une cérémonie où toute la famille sera présente dans la chambre. Une cérémonie pendant laquelle nous allons lui faire nos adieux alors qu'elle se détachera pour mourir.

– Mes cartes des anges. Chacun choisira une carte pour lui-même. Cette carte va représenter ce que ma mort lui apporte comme message.

Elle sait bien que sa mort nous trouble tous, nous questionne. Elle veut ouvrir une porte, amorcer dès maintenant le processus de guérison.

– Qui marche dans le corridor?

Hélène et moi n'avons rien entendu.

– Cette personne a quelque chose pour moi. Allez la chercher, demande ma sœur.

Je ne vois personne en ouvrant la porte de la chambre. Je me rends au petit salon où quelques membres de la famille sont réunis.

– Quelqu'un vient-il de marcher dans le corridor?

– Oui, moi, répond ma belle-sœur Lucie, la femme de mon frère Denis.

– Jocelyne demande à te voir.

Ma belle-sœur m'accompagne avec une certaine appréhension.

– Je suis inconfortable avec les personnes mourantes. J'ai demandé à ma grand-mère qui est décédée de m'aider aujourd'hui.

Ma sœur cherche auprès de Lucie ce qu'elle peut bien avoir à lui apporter. Quelque chose en lien avec le rituel qu'elle est en train de préparer. Elle travaille fort pour nous livrer sa pensée. La morphine prend parfois le dessus sur son mental et sur son corps, amenant alors son esprit à la dérive. Elle parle d'un bateau construit par un Balinais dans un demi-tronc d'arbre. Elle voudrait que Denis construise un bateau semblable. Un rituel sur l'eau, comme à Bali. Je tente de la ramener à la réalité.

– Jocelyne, Denis ne peut pas faire ça maintenant.

– On pourrait mettre un canot sur le Saint-Maurice, répond-elle. Denis a un canot.

Hélène intervient sans ambages :

– Voyons, m'man ! La rivière est toute gelée. C'est l'hiver ici, on n'est pas à Bali, on est à Shawinigan. C'est pas mal compliqué, ton affaire !

– Voyons ! Qu'est-ce que je dis là ! Je dérape encore, admet Jocelyne avec sa lucidité retrouvée.

– Je ne peux pas apporter de canot, Jocelyne. Mais j'ai une photo de canot ; Martin et toi avec Denis et moi, lors de l'excursion de canot-camping que nous avons faite ensemble.

– Oui, apporte cela pour représenter la rivière. C'est ça. Tu peux partir maintenant.

Lucie quitte la chambre et Jocelyne poursuit sa liste.

– Ça va nous prendre un bol en bois, pour l'eau, ajoute-t-elle.

Puis tout à coup son regard se fixe droit devant. Ses yeux grands ouverts. Je sens une présence. Hélène, assise de l'autre côté du lit en face de moi, me regarde, les yeux hors de leur orbite :

– Qu'est-ce qui se passe, m'man ?

Jocelyne pousse ses mains de chaque côté comme pour nous demander de ne pas entrer dans son espace. Nous observons en silence. Jocelyne regarde intensément, elle voit quelqu'un. J'en suis profondément convaincue. Ses yeux se plissent, comme pour reconnaître de qui il s'agit. Avec une profonde nostalgie dans la voix, elle murmure, comme pour elle-même :

– Ça fait longtemps !

Une larme coule sur sa joue droite. C'est la deuxième que je vois ! Quelqu'un qu'elle a beaucoup aimé sans doute ! Puis la présence n'est plus. Jocelyne se tourne vers sa fille :

– Qu'est-ce que tu disais, Hélène ?

J'aurais voulu lui demander qui donc elle avait vu. Mais je suis encore envoûtée par l'événement. Hélène regarde sa liste et répète à sa mère ce qu'elle a réclamé :

– La caméra, ton bouddha, de l'eau, ta chandelle de baptême, tes cartes d'anges et un bol en bois pour l'eau.

– Je voudrais quelque chose de Bali... Mon sarong pour mettre derrière le lit, le plus haut possible. Puis vous prendrez une photo. Je veux partir en sachant que tout le monde le sait que je pars.

Partir en étant accompagnée par tous ceux qu'elle aime. Comme lorsqu'on prend l'avion pour un très long séjour à l'étranger. Être accompagnée lors de ce dernier décollage. La cassette de notre échange de jeudi se déroule dans ma tête : « Si une personne refuse de me laisser partir, je ne pourrai pas partir. » Elle veut s'assurer que nous n'empêcherons pas son départ, que nous ne la retarderons pas.

L'infirmière vient faire ses vérifications d'usage. Elle s'assure que le pousse-seringue fonctionne adéquatement et que Jocelyne reçoit bien sa médication telle que prescrite par le médecin. Puis elle examine l'abdomen pour détecter toute inflammation ou rougeur suspecte. Avec compassion, elle s'enquiert auprès de ma sœur de son niveau de confort ou de douleur. Mes pensées sont occupées à la *cérémonie de mourir* que ma sœur tient à réaliser. Pendant plus d'une heure, toute notre attention a été centrée sur l'expression de ce désir qui prenait forme en elle. Je veux respecter ce désir. En même temps, je peux déjà imaginer la difficulté de réunir toute la famille, soit près de vingt-cinq personnes, dans la chambre. Mais surtout, je suis préoccupée du déroulement de cette rencontre. Je me sens prête à vivre cette expérience qui sort de l'ordinaire. Je ne suis pas certaine que tous les autres membres de la famille soient confortables avec la situation. Je pense en particulier à mes parents, à certains autres dont les contacts avec Jocelyne depuis son arrivée aux soins palliatifs sont plus restreints. Je profite de la présence de Linda, une infirmière très expérimentée dans l'accompagnement des personnes mourantes, pour aborder avec ma sœur ce sujet en sa présence. Linda se penche avec elle sur divers scénarios, invitant ainsi Jocelyne à repenser à l'approche qu'elle souhaite. Elle se montre très respectueuse et compréhensive face à une démarche qui n'est certainement pas très courante à l'hôpital. Hélène quitte la pièce avec l'infirmière afin de contacter par téléphone son père, qui sera chargé d'apporter les objets de la liste. Je me retrouve à nouveau seule avec ma sœur. Cette cérémonie qu'elle souhaite me ramène à mes pensées sur sa mission, celles que j'ai eues hier soir au coucher. Je décide de vérifier mes conclusions avec elle.

– J'ai pensé à tout ce que je vis ici avec toi, à ce que tu nous fais vivre pour apprivoiser ta mort. Je pense, Jocelyne, que tu t'es donné pour mission de réunir notre famille et d'élever notre niveau de spiritualité.

– Oui, c'est ça, me confirme-t-elle sans la moindre hésitation.

Nous avons toutes les deux une conscience très claire de ce que cela signifie. Nul besoin d'en dire davantage entre nous.

D'autant qu'elle vit présentement une baisse d'énergie que je peux sentir. Elle demande tout de même à se déplacer à la salle de bains. Le rituel du jeans déboutonné prend place comme à l'habitude depuis mon arrivée ici. La tête appuyée sur mon ventre, elle murmure des paroles que je ne comprends pas. Je lui fais répéter deux fois, trois fois.

– Je m'excuse, Jocelyne, mais je n'entends pas. Parle plus fort si tu veux que je te comprenne.

Je m'en veux de l'obliger à répéter, mais en même temps je crois qu'il s'agit de quelque chose d'important. D'une voix que cette fois-ci je comprends très bien, elle m'annonce :

– Vous allez avoir un beau party avec toutes les niaiseries que j'ai dites.

– Tu ne perdras donc jamais ton sens de l'humour !

De retour à son lit, elle murmure quelques mots sur l'Éveil féminin, un regroupement de femmes dans lequel elle s'est beaucoup investie entre l'âge de vingt-cinq et trente ans. À l'entendre ainsi remonter le cours du temps, en songeant à ses échanges avec chacun de nous, j'ai le sentiment qu'elle déroule sa vie dans sa tête, qu'elle en trace le bilan.

Nous voilà au cœur de ce dimanche après-midi. Ma belle-sœur Lyne et moi passerons un moment ensemble auprès de Jocelyne. Avant l'arrivée de celle-ci, ma sœur me dit :

– Lyne est une bonne accompagnatrice, je suis contente de la voir.

Je peux sentir dans sa voix toute l'affection qu'elle a pour celle avec qui elle aimait beaucoup échanger, tant sur le plan de la psychologie que celui de la spiritualité. Toutes deux partageaient avec enthousiasme les découvertes de leurs dernières lectures, les apprentissages reliés aux formations auxquelles elles venaient de participer.

Elle voudrait se reposer en prévision de l'arrivée de Marie-Chantal, mais je sens bien sa fébrilité intérieure en même temps qu'une très grande fatigue. Elle cherche sans succès le sommeil qui lui a fait défaut la nuit dernière. D'une voix grave, elle murmure en pointant la main devant elle :

– Gaétane, tu vois la caverne là-bas ?

– Ce n'est pas une caverne, c'est le téléviseur, répond ma belle-sœur, croyant à une hallucination.

– Lyne, tu ne vas pas me dire ce que je vois, rétorque ma sœur d'une voix affirmative empreinte de complicité.

Sa lucidité m'ébranle une fois de plus. Puis, se tournant vers moi, elle ajoute :

– Gaétane, tu vois la caverne ! Va dans la caverne, Gaétane, va jusqu'au fond. Au bout tu découvriras la lumière.

J'essaie de comprendre son message, de le déchiffrer. Bien qu'elles puissent ressembler à une divagation, je sais bien que ses paroles sont porteuses de sens. J'ai médité sur ces paroles. Je sais maintenant que Jocelyne me parlait de ma propre caverne. Du besoin pour moi de continuer ma démarche dans ma propre retraite intérieure, pour trouver mon âme, ma Lumière.

Le temps coule doucement, bien que nous puissions sentir une certaine agitation se maintenir dans le corps de Jocelyne. Avec affection, prenant dans sa main celle de ma sœur, Lyne lui dit d'une voix très douce :

– Tu peux partir maintenant si tu veux, Jocelyne.

Ces paroles me glacent, me figent. Je sens soudain la colère s'emparer de moi. Non, non, pas maintenant. Pas alors que Marie-Chantal et Claudine sont sur le point d'arriver. Je ne comprends pas Lyne de lui parler ainsi. Elle n'a pas à lui dire qu'elle peut partir. Mon malaise augmente de plus en plus. Que se passe-t-il donc ? J'ai le sentiment que ma sœur finira par sentir ces vibrations négatives. À la dérobée de Jocelyne qui a les yeux mi-clos, je me décide enfin à dire à Lyne que je veux lui parler dans le corridor. Alors que j'informe ma sœur que nous allons sortir de la chambre quelques minutes, Jocelyne me laisse entrevoir qu'elle sait.

– Qu'est-ce que tu veux lui dire, Gaétane ? me demande-t-elle d'un ton incisif.

Je sais que c'est une invitation à parler devant elle. La psychothérapeute en elle ne souhaite pas laisser cette occasion de m'aider à faire le ménage dans mes pensées. Pourtant, je ne vois d'autre solution qu'une réponse évasive :

– Seulement lui parler.

Dans le couloir, je mets mon cœur *sur la table*. D'abord pour dire à ma belle-sœur que j'ai besoin d'exprimer mon malaise, que j'ai beaucoup d'affection pour elle et que je ne souhaite pas la blesser par mes propos. Ensuite pour lui avouer que j'ai le sentiment de me faire faire la leçon, de me faire dire comment m'occuper de Jocelyne. Mes propos sont émotifs, probablement confus. Lyne reçoit cela avec toute l'ouverture d'esprit et la générosité dont je la sais capable. Je pense qu'elle comprend, au-delà de tous les mots, la peine que j'ai de voir partir ma sœur et mon désir de faire ce qu'il y a de mieux pour elle.

J'ai compris. Finalement compris pourquoi j'avais cette impression de me faire dire quoi faire. « Tu peux partir maintenant si tu veux. » Ces mots, je n'étais pas prête à les entendre. Surtout je n'étais pas prête à les prononcer. Pas encore. J'avais retenu ma sœur en lui demandant d'attendre Marie-Chantal. Le savait-elle, Jocelyne, alors que moi-même j'en avais si peu conscience, que c'est moi que je lui demandais d'attendre ? Ma colère envers Lyne n'était autre que ma colère envers moi-même que j'ai d'abord dirigée sur elle. Encore incapable que j'étais à ce moment-là d'envisager le fait que je ne laissais pas vraiment partir Jocelyne.

L'après-midi s'annonce très différent des autres journées. Depuis quelques jours déjà chacun connaît la volonté de partir de Jocelyne. L'arrivée de Marie-Chantal ce soir annonce donc l'approche du départ. Chacun veut faire un dernier adieu. Nos parents sont arrivés depuis un bon moment ainsi que des membres de la belle-famille, invités par leur frère Martin à venir rencontrer Jocelyne. Certains ne l'ont pas vue depuis son hospitalisation alors que d'autres ont été ses anges gardiens. À l'annonce de nos parents, Jocelyne demande à se préparer. Ma belle-sœur Lyne se charge d'eux, impatients qu'ils sont de voir leur fille. Ils ont bien fait quelques visites depuis son hospitalisation, mais sa présence leur manque déjà. Ils souhaiteraient être davantage auprès d'elle. En même temps cela leur est très difficile de faire face à sa condition actuelle. De plus, l'hôpital recèle pour eux, comme pour beaucoup de personnes, de bien tristes souvenirs ravivés dès leur entrée en ces lieux. Jocelyne se prépare comme pour un grand événement. D'abord la salle de bains à nouveau, puis se réinstaller dans le fauteuil avec son petit drap blanc et son *fardeau* avec elle. Puis, au-dessus du petit bassin haricot que ma belle-sœur Lucie tient pour elle, elle lave ses dents une autre fois aujourd'hui. Avec une lenteur que je ne lui connais pas, elle lave ses dents. Elle n'en finit plus de brosser, brosser, comme si ses dents se devaient d'être impeccables, comme si c'était la seule chose à faire en ce dimanche après-midi. Je ne sais ce qui la retient là. Son mouvement s'est arrêté dans le temps et semble voué à se répéter sans fin, comme le fameux disque brisé. J'ai beau lui demander d'accélérer un peu, lui dire que ses dents sont propres maintenant, rien n'y fait. Elle brosse ses dents... À bout de ressources, je trouve l'argument de taille :

– Dépêche-toi, Martin va arriver bientôt.

Oubliant sans aucun doute ce que « bientôt » veut dire lorsqu'il s'agit de Martin, elle accélère son mouvement de brossage de dents qui atteint alors une rapidité étonnante, et finit par annoncer :

– J'ai terminé.

Elle demande un miroir pour vérifier ses cheveux. Je l'ai vue à quelques reprises jeter un rapide coup d'œil au miroir mural en sortant de la salle de bains. J'aurais aimé qu'il n'y en ait pas d'accessible ! Devant ce témoin froid et impitoyable qu'elle tient dans ses mains et qui la scrute de près, elle exprime sa déception :

– Je ne suis pas vraiment très belle à voir !

Puis, soumise à nouveau à la réalité de ces visiteurs à sa porte, elle ajoute:

– Ma belle-famille, je vais la recevoir. Ces personnes-là font aussi partie de ma famille. Je vais d'abord recevoir papa et maman. Tu peux aller les chercher maintenant. Je suis prête.

Nos parents arrivent, s'installent sur les chaises disposées près de son fauteuil. En l'embrassant, papa lui confie, des sanglots dans la voix:

– T''as ben du courage!

Comme si tout avait été soigneusement préparé lors d'une répétition, elle donne la réplique:

– Papa, mon courage c'est toi qui me l'as donné. Lorsque tu avais des problèmes au bureau, j'ai vu ton courage. Tu continuais malgré les difficultés. Lorsqu'il y a eu le feu à l'usine, j'ai vu ton courage. Et cela te demande aussi du courage maintenant de continuer depuis ton accident cardiovasculaire.

– Je ne l'ai plus ce courage-là, interrompt mon père.

– Mais oui, il est toujours en toi. Tu peux aller le chercher à nouveau si tu le veux. Lorsque tu te lèves le matin, rappelle-toi le courage que tu avais et dis-toi que ce courage-là peut encore t'aider.

Puis elle se tourne vers maman.

– Toi, maman, papa dit des fois que t'es entêtée, dit-elle avec un air moqueur dans la voix. Être entêté, ça c'est de la détermination. Il t'en a fallu de la détermination pour t'occuper toute seule de la famille quand papa était dans les chantiers, au bureau. Toi maman, tu m'as apporté ta détermination. Tu sais comment je peux être entêtée moi aussi.

Assise sur son lit, en retrait, je regarde ma sœur. Elle les regarde tous les deux, papa, maman, deux personnes d'un âge avancé qui ne comprennent pas que leur fille, leur enfant, va partir avant eux. Elle déploie une telle énergie, une telle lucidité. Je pourrais très bien replacer la scène dans son bureau de psychothérapeute, avec des clients auprès de qui elle s'investit complètement. Je l'observe. Elle n'a pas l'air de quelqu'un qui va mourir. Elle nous a joué un bon tour, elle va se lever et dire à tout le monde : « Bon, c'est assez. J'espère que vous avez tous compris. Moi je m'en vais. Je suis tannée d'être ici. » Je la contemple. Depuis presque vingt minutes, elle fait de la relation d'aide auprès de ses parents en leur rendant hommage.

– Papa, maman, je vous remercie pour tout ce que vous m'avez apporté.

– Bon voyage, ma fille, murmure mon père en l'embrassant.

En l'embrassant à son tour, ma mère retient ses larmes mais je peux entendre ses pleurs intérieurs. Puis sa colère :

– T'as besoin de penser à moi quand tu vas être en haut.

Heureusement Jocelyne ne semble pas avoir compris. Je *traduis* pour elle :

– Maman te demande de penser à elle lorsque tu seras là-haut.

J'ai du mal à comprendre. Pourquoi cette colère ? De quel péché Jocelyne s'est-elle rendue coupable aux yeux de maman ?

J'ai mis du temps à comprendre. Comprendre la douleur, déchirante, de se sentir abandonnée par sa fille, son aînée, son principal soutien. La douleur de se sentir abandonnée, là, en ce moment, par sa propre fille qui accepte aussi sereinement la mort. Sa fille qui la laisse tomber, qui ne sera plus là lorsqu'elle aura besoin d'elle.

J'ai fini par comprendre. Comprendre que la douleur se transforme en peur. Et la peur piège l'amour. Et la peur s'exprime en colère, faisant ombrage à l'amour, puissant, qui est toujours là.

Dans le corridor, tout comme moi plus tôt cette semaine, ma mère ne comprend pas que sa fille « accepte son sort sans pleurer ». J'essaie de l'amener à considérer ce départ sous un autre angle :

– Jocelyne nous permet d'apprivoiser la mort. Elle nous montre que c'est possible de mourir avec sérénité. C'est un cadeau qu'elle nous fait. Est-ce que ce serait vraiment plus facile, pour elle ou pour nous, si elle pleurait ? Elle a confiance dans l'Autre vie qui l'attend. Elle nous aide à ne plus avoir peur de la mort. Vous pouvez vous dire chanceux d'avoir eu cette fille qui nous trace ce chemin-là. Vous pouvez être fiers d'elle, vous êtes ses parents.

Mon père acquiesce de la tête, maman sanglote.

De retour auprès de Jocelyne, je constate son affaiblissement. Ce qui m'étonne, c'est de constater à quel point son niveau d'énergie peut encore varier au cours d'une même journée. Une forte douleur la traverse soudain. Est-ce l'énergie déployée, le détachement exigé qui bouleverse ainsi son corps à ce moment précis ? Elle se repose un peu, puis se dit prête à rencontrer sa belle-famille. Par couple, en faisant une pause entre chacune des rencontres, elle les reçoit pour faire ses adieux. Elle semble puiser dans ses réserves d'énergie. Sa voix est très basse. Tout son physique parle maintenant de son départ qui approche. Je pouvais sentir l'appréhension de certains lorsque j'allais au petit salon les inviter à la chambre. Dans le corridor à la sortie, je sens aussi leur trouble suite à cette rencontre. Les visiteurs sont touchés. Profondément touchés par cette belle-sœur qu'ils connaissent bien, qu'ils aiment bien et qui prend le temps de remercier chacun pour un geste, une attitude bienveillante à son égard dont elle se souvient mais qu'eux-mêmes ont depuis longtemps oubliés.

Dans tout ce va-et-vient, Lucie assure auprès de Jocelyne une présence continue, essentielle. Alors que je la retrouve auprès de ma sœur, je constate qu'elle aussi s'est laissée atteindre par la sérénité de Jocelyne. La compassion, la *présence* à une personne aimée et l'humour qui la caractérise ont remplacé la peur qui l'habitait à son arrivée aux soins palliatifs. Elle peut remercier sa grand-mère !

La douleur se pointe parfois de façon plus aiguë. Lorsque ses visiteurs sont sortis, Jocelyne demande alors un soulagement rapide. L'infirmière répond sur-le-champ à notre appel et injecte une entredose de médication grâce au papillon installé sur sa poitrine. Jocelyne tient à poursuivre ses adieux. Dans sa tête, l'agenda n'a pas changé. Après l'arrivée de Marie-Chantal, elle part! La question de la *cérémonie de mourir* me préoccupe toujours. Je me sens responsable avec Hélène d'acheminer ses volontés. En même temps, je n'ai aucune connaissance de ce genre d'expérience et je suis très préoccupée par les réactions de la famille à l'annonce de cette cérémonie d'adieu.

Tandis que ma sœur France se joint à Lucie auprès de Jocelyne en fin d'après-midi, Martin, Hélène et moi rencontrons Linda, avec qui le sujet a été abordé précédemment. Infirmière douée d'une grande ouverture d'esprit, elle répond à nos questions et nous guide dans notre démarche. Elle dit avoir déjà participé à ce genre de cérémonie. Bien que ce soit très rare, c'est possible qu'une personne décède alors que les personnes présentes l'accompagnent dans une *cérémonie de mourir*. Malheureusement elle ne pourrait pas participer à cette rencontre avec nous compte tenu des besoins des autres malades en milieu de soirée. Elle réitère la suggestion formulée plus tôt à Jocelyne. La famille pourrait faire ses adieux au cours d'une brève cérémonie, puis chacun quitte la chambre dès qu'il accepte vraiment dans son cœur de la laisser partir. Cela éviterait d'attendre la mort qui peut ne pas se produire à ce moment-là. Nous convenons de rediscuter de cela avec Jocelyne.

Lorsque la rencontre avec Linda se termine, France m'annonce que Jocelyne a décidé, sans fournir d'explication, de ne pas faire de cérémonie. Je suis soulagée d'une certaine façon bien que je me demande ce qui l'a fait changer d'idée. Peut-être ne sent-elle plus le besoin d'avoir tout le monde autour d'elle au moment même du grand départ. Peut-être reçoit-elle de plus en plus le message que chacun accepte de la laisser partir, ce qui la rassure sans aucun doute, et lui donne l'énergie nécessaire pour le détachement ultime.

Au petit salon je rencontre Robert et Guylaine, ses fidèles accompagnateurs au niveau énergétique. Ils se rendront auprès de Jocelyne lorsqu'elle aura terminé de recevoir ses visiteurs. Ils ont maintenu leurs visites régulières auprès d'elle et sont là ce soir en pleine connaissance de la signification de cette journée. Ils arrivent de Montréal où ils ont passé la journée en formation. Robert me raconte avoir discuté des soins particuliers à apporter à Jocelyne pour la soutenir dans ce passage qu'elle s'apprête à faire. Ils m'apprennent qu'ils ont tous les deux senti dans son corps le moment où elle a pris la décision de lâcher prise. Je n'ose demander encore quel est ce moment. Je reporte ce questionnement à plus tard. Je leur raconte les moments de grâce vécus avec Jocelyne. Son message de Gouddha. Sa mission de nous éveiller spirituellement. Ils me confient avoir été profondément touchés au contact de Jocelyne, enrichis eux aussi par la spiritualité qui l'animait. Comme plusieurs personnes du réseau de Jocelyne, ont-ils pris soin de m'informer. Sa vision de cet après-midi ! Qui a-t-elle pu voir ? Nos échanges me permettent de croire qu'il peut s'agir de notre grand-mère maternelle, qui est décédée depuis suffisamment longtemps pour avoir complété son passage et être prête à guider de nouvelles âmes pour cette traversée vers l'Au-delà. Je suis contente de savoir qu'ils seront tous deux bientôt auprès de ma sœur.

Vers les dix-huit heures trente toute la famille est sur place. Au petit salon, à la cafétéria ou bien avec Jocelyne, nous attendons avec elle les voyageuses. Et la suite des événements... Dix-neuf heures, Claudine devrait normalement arriver à Dorval en provenance du Mexique. Une amie l'y attend pour la conduire auprès de Jocelyne. Dix-neuf heures trente, Marie-Chantal et Harrison devraient arriver à Dorval en provenance de Jasper. Une amie les amènera directement à l'hôpital. Claudine arrive enfin vers vingt heures trente, essoufflée par plusieurs heures de voyage et un raccordement d'avion qu'elle a bien failli manquer. Elle est accueillie par la famille dès son arrivée dans le corridor des soins palliatifs. Dans un sentiment d'urgence qu'elle conserve depuis son départ du Mexique, elle se dirige immédiatement vers la chambre de sa sœur après avoir été brièvement prévenue de son état. En voilà une d'arrivée. Nous attendons Marie-Chantal, regardant notre montre, estimant le temps qu'elle mettra à se rendre. L'avion a du retard. Marie-Chantal arrive finalement vers vingt et une heures trente. Alors que Claudine quitte la chambre, Marie-Chantal s'y engouffre suivie de toute sa famille. Enfin, Marie-Chantal est arrivée! Quel soulagement! J'imagine combien Jocelyne est contente de la savoir enfin près d'elle. Maintenant tout son monde est réuni pour le grand départ.

Après avoir salué les autres membres de la famille, Claudine désire nous rencontrer, frères et sœurs, en tête-à-tête, réservant pour plus tard son échange avec nos parents. À nous voir réunis autour de Claudine, j'ai l'impression qu'il manque quelqu'un. Je compte le nombre de personnes pour être bien certaine que nous sommes tous là. Nous devrions être sept. Sept frères et sœurs. Je n'en compte que six! Il manque quelqu'un. Qui manque donc à l'appel? Il me faut quelques instants pour comprendre. Comprendre que désormais nous ne serons que six à l'appel. Une réalité qui me fait prendre conscience, alors que nous sommes là, réunis, les six frères et sœurs, que notre noyau familial est amputé à jamais. On ne sera plus jamais *toute la famille*. Debout à l'entrée du corridor des soins palliatifs, en retrait du reste de la famille, Claudine nous annonce:

– Je savais, avant même que Gaétane me téléphone, qu'il fallait que je m'en vienne tout de suite. Vous allez peut-être avoir de la misère à me croire mais je vous jure que c'est vrai. Deux jours avant son téléphone, au cours de la nuit, un ange m'est apparu dans ma chambre.

– Oh là, Claudine, tu fumes vraiment du bon *stock*, rétorque Bernard, encouragé sans tarder par les deux autres gars qui ricanent en affichant un air on ne peut plus sceptique.

– Écoutez-moi, je vous répète que c'est vrai. Je me suis réveillée parce que je sentais comme une présence dans la chambre. Quand j'ai ouvert les yeux, je me suis assise dans mon lit et j'ai vu un ange. Un ange habillé de bleu, avec des ailes, comme les images que l'on avait à l'école.

– Ah, ah, ah, tu ne vas pas essayer de nous faire croire cela. Dis-le donc que tu rêvais, avance Denis.

– Si tu veux te rendre intéressante, il y a d'autres moyens, tu sais, réplique Frédéric.

– Je ne fais pas de farce. J'avais de la misère à le croire moi-même. L'ange était là, mais je ne voyais pas de visage claire-ment. Je l'ai vu assez longtemps pour savoir que je l'ai vraiment vu. Je n'ai pas rêvé. Le lendemain j'en ai parlé à ma voisine, car je ne savais pas ce que cela voulait dire. Elle m'a affirmé que cela lui était déjà arrivé et que cela voulait dire que l'ange était venu lui annoncer que quelqu'un l'attendait. J'avais déjà pris toutes les informations pour l'avion quand Gaétane m'a appelée vendredi matin pour me dire de venir.

Le silence est tombé sur notre petit groupe. On aurait entendu un ange passer !

– En tout cas, Claudine, dis pas ça à n'importe qui. C'est pas certain que tu vas être prise au sérieux, avertit Denis.

Est-ce vraiment possible cette histoire ? Pourquoi Claudine aurait-elle inventé cela ? Elle ne nous a jamais montré quelque côté mystique que ce soit. Notre petit groupe se disperse et se mêle aux autres. Je me demande ce que je ferai de cette infor-mation. L'oublier ? En douter ? Questionner véritablement cette possibilité ? Ou mettre carrément mes peurs de côté et oser imaginer ce que cela voudrait dire ?

Dans ce corridor des soins palliatifs, à quelques pieds de la chambre de Jocelyne, la joie et la tristesse se confondent. La joie de se retrouver tous, d'être ensemble dans ces adieux ; la tristesse de faire ces adieux. L'énergie monte et descend. Quand l'infirmière m'offre de prendre de l'Ensure sous forme de breuvage, je fige sur place. Je me rappelle Jocelyne dégus-tant ce substitut de repas lorsqu'elle était chez elle. De mon côté il me dégoûtait parce que je l'associais au cancer. Il était le symbole de la gravité de sa maladie : elle en était réduite à boire de l'Ensure! Ce n'est qu'après avoir entendu ma sœur France me dire que c'était bon et avoir pris conscience de l'état de faiblesse dans lequel je me trouve, puisque je n'ai pas mangé depuis le matin, que je me décide enfin à y goûter.

Le personnel infirmier se montre d'une très grande gentillesse à notre égard. Nous nous sentons un peu comme chez nous. Nous occupons le territoire. Un dimanche soir. Comme il nous est arrivé souvent de nous retrouver tous en famille à une certaine époque. Lorsque Jocelyne était jeune mariée, avec ses deux jeunes enfants, et qu'elle venait souper à la maison familiale.

Cette fois, ce dimanche, les parents, frères et sœurs, beaux-frères et belles sœurs sont sur le quai alors que Jocelyne s'apprête à partir. Son mari, ses enfants et leurs conjoints sont montés à bord du bateau lui faire leurs adieux. Ensemble, en famille. Quand le départ est accepté, quand l'adieu est fait, quand ils se sentent prêts à la laisser partir pour ce voyage sans fin, ils quittent la chambre un à un. Benoît franchit cette porte qui le ramène sur le quai. Dès qu'il peut sentir mon appui, il se laisse aller au moment de faiblesse qu'il éprouve. Comme s'il se sentait tout à coup privé d'une énergie vitale, comme si le cordon venait de se couper une autre fois. Pleurer, partager la peine, sans retenue, dans le silence. Puis c'est au tour de notre famille de faire les adieux. Une personne à la fois, pour bénéficier de ce moment privilégié d'être avec elle, profiter de ce dernier moment d'intimité, dire ce que l'on avait peut-être oublié de dire pendant toutes ces années. Chacun en ressort le cœur lourd. Lourd de cet amour qui semble prendre toute la place en ce si petit espace.

Je sens que mon tour approche. Moi aussi je ferai mes adieux. J'ai besoin de parler à Frédéric et à France, mes complices des derniers jours. Où peut-on être seuls? La lingerie en face de la chambre de Jocelyne fera l'affaire. Dans un moment de panique face à ces adieux, je me laisse aller à mes peurs:

– Je quitte l'hôpital ce soir. Je ne reviendrai pas. Je ne la reverrai plus. Je vais lui dire que je ne la reverrai plus, que je ne serai pas là demain. Si je reste là à la soigner, je ne voudrai pas la laisser partir. Je dois partir si je veux la laisser partir. Maintenant que Marie-Chantal est arrivée. Je me sens coupable de la laisser. Je me sens coupable de la laisser au moment de mourir. De la laisser mourir. J'ai peur de lui annoncer que je pars. Peur que ce soit trop difficile. Peur qu'elle ne comprenne pas que je ne reste pas jusqu'à la fin. Je me sens épuisée physiquement, psychologiquement. J'ai besoin de prendre mes distances. J'ai besoin d'être avec mon mari et mes enfants. Besoin de me reposer, me retrouver.

Je déboule ce flot de paroles comme si ces pensées surgissaient de moi au moment même où les mots sont prononcés. Je n'ai rien vu arriver. Je laisse sortir le trop-plein. Je pleure sur l'épaule de mon frère qui m'a ouvert ses bras. Je me laisse réconforter par ses paroles et celles de ma sœur. C'est bon de sentir qu'ils comprennent ma détresse. Qu'ils l'acceptent sans la juger. Pour m'aider à retrouver mon courage, le courage d'entrer dans cette chambre pour une dernière fois. À la sortie de la lingerie, je communique ma décision à sœur Berthe.

– Tu n'as pas à dire que tu ne la reverras pas, dis seulement que tu pars, que tu retournes auprès de ta famille.

Adoucir le message, pour elle, pour moi.

Sur le seuil de la porte, Martin annonce que les visites sont terminées. Le cœur me fait un tour. Je n'ai pas vu Jocelyne depuis la fin de l'après-midi. Je dois pouvoir moi aussi lui faire mes adieux. Deux autres personnes ont aussi besoin d'un dernier entretien. Un dernier mot. Un dernier message. C'est nous qui avons encore besoin d'elle lors de ces dernières rencontres, besoin de sentir encore sa présence, son amour.

C'est à mon tour maintenant. Elle est à moitié couchée dans son lit. Couvertures, oreillers, c'est le désordre complet. Et l'inconfort ! Son corps mal positionné dans le lit, je sens chez elle une très grande fatigue. Depuis le début de l'après-midi elle a rencontré près de vingt-cinq personnes qui sont venues lui faire leurs adieux. L'urgence pour moi de faire vite alors que je voudrais rester longtemps avec elle pour ce dernier adieu, prendre le temps, une dernière fois. Je m'approche tout près, tout près de son visage. C'est elle qui m'aborde, en mettant le point final à sa longue recherche pour retrouver son corps :

– Je n'aurai jamais été petite, concède-t-elle avec le regret dans la voix.

– Mais voyons, Jocelyne, moi je ne vois plus ton corps. C'est seulement ton âme que je vois. Avec toute sa beauté, sa bonté, sa sagesse.

Je suis fascinée par son visage. Je ne le reconnais plus. Il est empreint de quelque chose d'indescriptible. Il possède une transparence comme si j'y voyais toutes ses vies antérieures s'y superposer. Et dans ses yeux, toute la sagesse, la beauté et la bonté que son âme a accumulées à travers ces expériences. J'ai le profond sentiment d'avoir déjà vu ce visage, ailleurs. Ce n'est pas un visage d'homme ou de femme que j'ai rencontré dans ma vie. Il s'agit d'autre chose... C'est le visage de l'Amour qui émane au fond du regard. Le visage de la transparence de l'Être qui habite ce corps. Cette Lumière qui transfigure le visage de ma sœur.

C'est bien le visage de l'Âme que je re-connais. Oui, j'ai déjà vu ce visage, ailleurs...

– Gaétane, l'homme le plus simple peut être un sage, murmure-t-elle avec douceur.

Je reçois ces paroles comme un ultime message à découvrir. Qu'est-ce que tu veux m'enseigner, Jocelyne ? J'ai besoin de comprendre.

Je comprends maintenant que nous avons tous accès à cette sagesse au fond de nous, à cette Lumière qui ne demande qu'à nous éclairer, car Elle est là en permanence. Je comprends aussi que sur ma route je rencontrerai des gens simples qui se révéleront en réalité être de grands sages, si je me donne la possibilité de découvrir Qui ils sont vraiment. Comme j'ai pu, dans les derniers jours de sa vie, entrer en contact avec la beauté et la sagesse de ma sœur. Je comprends enfin que je pourrai entrer en contact avec ma propre sagesse intérieure si je me permets de découvrir Qui je suis vraiment.

Pourtant, pour le moment, au-delà de cette pensée, l'objet de cette rencontre s'impose à mon esprit.

– Je vais partir demain et retourner chez nous. Je ne vais plus prendre soin de toi. Si je reste pour prendre soin de toi, je ne voudrai plus te laisser partir. Je sais que tu as besoin de te détacher pour mourir et j'ai besoin moi aussi de me détacher pour te laisser mourir. Je dois partir.

– Je sais, concède-t-elle, le regard plein de tendresse.

– Jocelyne, je veux te dire que j'ai choisi de veiller sur Benoît.

– Ah ! Je suis contente.

Nous, ses trois sœurs, nous allons veiller sur ses trois enfants, un tout petit peu comme une mère, sans la remplacer, juste pour être là au besoin, les gâter à l'occasion. Je me rappelle tout à coup ce rêve que j'ai fait et dont je voulais toujours lui parler.

– J'ai rêvé en juin que tu voulais me donner un petit chien. Je ne voulais pas le prendre et tu insistais.

– Moi aussi, j'ai rêvé à un chien.

Surprise et à la fois sceptique qu'elle puisse se souvenir d'un rêve dans son état, je demande :

– Quand ça ?

– Cette semaine. J'ai rêvé que je voulais donner un petit chien, mais je ne savais pas à qui le donner. Je ne me rappelle pas le sens du chien. Tu vérifieras la signification. J'ai un livre sur ça dans ma bibliothèque au sous-sol. Je pense qu'il doit être là.

– Jocelyne, dans mon rêve, sans savoir exactement pourquoi, j'associais ce chien à Benoît. Je pense que je comprends maintenant.

Songeuse quelques instants encore, je suis vite ramenée au moment présent par la réalité de ma sœur et la brièveté de cette rencontre ultime.

– Je te remercie pour tout ce que tu m'as apporté cette semaine. Pour cette expérience que tu m'as permis de vivre à tes côtés. Ces moments ont été extraordinaires. Tu m'as fait pleurer. Un tout petit peu... Tu m'as fait rire. Et surtout tu m'as enseigné tellement de choses. C'est égoïste de ma part, car je voudrais continuer à rester ici à tes côtés. Mais toi tu souffres et tu dois partir pour ne plus souffrir. Je t'aime et j'accepte de te laisser partir.

Je sens que le moment de quitter la chambre approche. Pourtant quelque chose m'en empêche. Quelque chose me retient. Je jette un coup d'œil rapide sur la chambre. Je voudrais apporter pour toujours avec moi ce souvenir de jours d'intimité et de complicité sans pareils avec ma sœur. Je voudrais conserver à jamais en mémoire cette euphorie vécue auprès d'elle, ce sentiment d'avoir côtoyé l'Amour, d'avoir approché l'Autre vie par personne interposée.

– Jocelyne, c'est tellement extraordinaire ce que j'ai vécu avec toi cette semaine. Je voudrais écrire un livre.

Je suis secouée par cette idée à laquelle je n'ai jamais pensé auparavant, ce cri du cœur alors que je m'apprête à laisser ma sœur. Je regarde autour de moi. Vais-je être capable de me rappeler ? Je vois le *Message aux anges gardiens*. Je voudrais me souvenir de toutes les petites attentions à son égard ; elles évoquent tout ce que j'étais prête à faire pour elle.

– Tu écriras tout ce que tu voudras. Fais voir ça par Martin et Marie-Chantal. Mais dépêche-toi parce que je suis fatiguée maintenant.

C'est la première fois que ma sœur se montre impatiente avec moi. Au moment de la quitter. Je me sens impardonnable de lui avoir imposé ce surplus de fatigue.

– Excuse-moi de t'avoir déplu, Jocelyne.

Je suis triste. Je me sens comme une visiteuse qui a prolongé indûment son séjour. Je ne suis plus là pour prendre soin d'elle.

– Gaétane, tu vas devoir te défaire de cette peur de toujours déplaire aux autres.

La psychothérapeute en elle travaillera jusqu'à la dernière minute de ses capacités. C'est ma dernière leçon. Je l'accepte comme un cadeau.

– J'ai faim, murmure-t-elle.

J'entends ces paroles, mais je ne les comprends pas. Normalement je lui aurais demandé ce qu'elle souhaitait manger et je serais accourue le lui chercher. Je ne comprends pas, comme si ses paroles s'adressaient maintenant à quelqu'un d'autre que moi. Comme s'il m'était impossible de répondre à son besoin. Comme s'il était normal qu'elle ait faim et que je ne puisse rien faire. Comme si elle allait mourir et que je ne puisse rien faire. Comme si je l'acceptais.

– Je dois partir maintenant. Merci pour tout ce que tu as fait pour moi. Je t'aime.

Je dépose mes lèvres sur son visage. Je voudrais m'éterniser en sa présence. Je dois me décider à quitter la chambre. L'idée de ne plus jamais la revoir vivante me rend la chose très difficile. Conservant mon regard sur elle jusqu'à la sortie, je laisse échapper une dernière salutation :

– Adieu, ma sœur.

Dans le corridor je retrouve ma famille. Je me sens en deuil, vidée, ressentant en moi la perte. Robert et Guylaine se pressent auprès de Jocelyne. Mes cousines Francine et Pierrette arrivent pour leur garde de nuit. Elles répondent toujours à l'appel. Comme c'est bon de les savoir là ce soir.

– Jamais je n'aurais pensé apprécier autant d'avoir des cousines infirmières. Merci, les filles. Merci d'être là ce soir.

Frédéric passe la nuit chez ma sœur France et je me rendrai avec lui jusqu'à Montréal demain. Alors que nous réfléchissons ensemble sur ce dimanche exceptionnel, l'énergie dont Jocelyne a fait preuve tout au cours de cette journée nous fascine, nous questionne. Comment a-t-elle pu trouver la force, autant physique que morale, de recevoir ainsi tout son monde? Quand a-t-elle fait ce bilan de vie qui lui a permis de parler à chacun avec justesse et sérénité dans ses propos? La force de Jocelyne aura été de ne pas se laisser déranger, happer par les réminiscences d'anciennes blessures, les inévitables conflits intérieurs non résolus. D'avoir choisi de vivre la sérénité. Elle nous a toujours étonnés et continue de le faire même maintenant sur son lit de mort.

La maisonnée s'est endormie. Installés devant le foyer qui a perdu sa flamme, Frédéric et moi profitons de ce moment d'intimité pour continuer de mettre à jour notre compréhension de cette expérience vécue aux soins palliatifs. Le besoin de parler, de comprendre se fait incessant. Lui aussi est troublé par ces heures passées auprès de Jocelyne. Par la lucidité qu'elle dégage, par la sérénité qu'elle nous communique. Ensemble nous explorons le sens de ses attitudes, de ses comportements, de ses messages qui nous interpellent. «Pourquoi elle a dit ça? Comment ça se fait qu'elle pense comme ça? D'où lui vient cette capacité d'agir comme elle le fait?» Je reconnais en Frédéric l'être curieux qu'il a toujours été. Qui se retrouve lui aussi, comme nous tous, devant plusieurs questions. Certaines avec des réponses, d'autres sans. Nous nous décidons finalement à cinq heures du matin à répondre à l'appel de la fatigue nous invitant à dormir.

Alors que je m'apprête à entrer dans mon lit, je me sens seule tout à coup. L'idée que Jocelyne peut mourir à tout moment me tenaille le ventre. J'ai peur. Peur de ressentir le coup si cela se présente durant mon sommeil. Peur de faire un cauchemar. Je ne veux pas m'endormir toute seule. Comme lorsque j'étais petite, à neuf ans. Lorsque, après la mort de notre chien Pompon qui avait l'habitude de dormir au pied de mon lit, j'allais demander à mon frère Bernard de coucher avec moi parce que j'avais de la difficulté à m'endormir. J'ai quarante-sept ans et j'ose demander à mon frère de trente-sept ans de dormir avec moi. Pour ne pas être seule. Pour ne pas sentir cette peur qui s'installe en moi et commence à faire mal. Pour ne pas sentir ce vide que je pressens. Parce que je vis déjà la perte, la coupure.

Lundi. Nous sommes éveillés à nouveau après à peine quatre heures de sommeil. Aujourd'hui je ne vais pas à l'hôpital. Je ne verrai pas Jocelyne. Je rentre chez moi pour attendre l'annonce de sa mort qui ne saurait tarder. Avant de partir, un téléphone aux soins palliatifs pour prendre les dernières nouvelles.

– Comment ça se fait que je ne suis pas morte ? Allez me chercher l'infirmière.

Voici la façon dont Jocelyne a accueilli le nouveau jour. À l'arrivée de l'infirmière, elle s'enquiert auprès d'elle :

– Qu'est-ce que je dois faire pour mourir ?

Elle est tellement décidée à ne pas prolonger son agonie. Je suis convaincue, comme tous ceux qui sont proches, qu'elle partira d'ici quelques jours. Je continue à veiller sur elle. Elle est dans mes pensées à tout instant.

Sur la route vers Montréal, la conversation entre Frédéric et moi se poursuit. Nous cherchons encore un sens à ces manifestations d'une Autre vie. Pourquoi sentons-nous le besoin de parler de Lui ? Qu'est-ce que Dieu a à voir dans tout ça ? Jocelyne n'a jamais mentionné son nom. Pourtant j'ai bien senti sa Présence. Dans ce qu'elle fait. Dans ce qu'elle dit. Dans cette acceptation de sa mort. En présence de Ruth, la compagne de Frédéric, ces questions continuent de nous habiter.

– Elle est trop jeune pour mourir, affirme-t-elle avec une pointe de colère dans la voix.

Les paroles de Jocelyne reviennent toujours à ma mémoire : « Si une personne refuse de me laisser partir, je ne pourrai pas partir. » Je comprends la colère de Ruth. De son œil extérieur qui n'a pas suivi Jocelyne dans sa démarche, cette mort qui s'avance semble complètement absurde, dépourvue de tout sens. Je sens aussi la peur de la mort chez cette jeune femme combative. Peut-être cette même peur que Jocelyne elle-même entretenait plus tôt dans sa vie. Accepter la mort, accepter la mort d'une autre personne que soi, c'est faire le travail intérieur pour accepter sa propre mort éventuelle. Une démarche qui demande de prendre le temps d'aller en soi affronter ses dragons, chercher ses propres réponses.

La journée du lendemain se passe dans l'attente. D'abord l'attente d'une confirmation pour mon transport vers l'Outaouais. Je me sens incapable de prendre l'autobus, cet espace anonyme et froid. J'ai besoin d'être en terrain connu, de me sentir entourée, de préserver mon intimité. Puis l'attente d'un téléphone m'annonçant la mort de Jocelyne. Je somnole sur le divan. Je me sens dans un univers irréel. Est-ce bien moi qui suis là à attendre que l'on m'annonce par téléphone la mort de Jocelyne? Pourquoi ne suis-je pas auprès d'elle? Pourquoi donc est-ce que j'en suis arrivée à accepter son départ? Lequel, j'en suis convaincue, arrivera aujourd'hui. Je connais la détermination de Jocelyne et je suis persuadée qu'elle fera tout en son possible pour y arriver. Mon corps est fébrile et tressaille. Il est sur le qui-vive en attendant cette mort. Je ressens physiquement le manque, tel un sevrage, de ne pas être auprès de Jocelyne. Je sens mes attaches se dénouer, à petits coups, comme si je la sentais défaire les amarres. Une vibration profonde traverse tout à coup mon corps et je me lève d'un bond. Qu'est-ce donc que j'ai senti si intensément? Quelque chose que je ne me rappelle pas avoir éprouvé auparavant. Respirer. J'ai besoin de respirer profondément. Et attendre. Mon frère revient d'ici une heure. Ma famille sait où me rejoindre. Je n'ose téléphoner. Le temps s'éternise et je demeure sans nouvelles de ma sœur. À mon plus grand soulagement, ma bonne amie Jacqueline me confirme qu'elle me conduira chez moi ce soir après son travail. J'avais misé juste en comptant sur sa générosité et son amitié.

La neige se fait de plus en plus abondante sur les essuie-glaces. La route demande une conduite exemplaire. Le voyage me semble terriblement long. Je ne sais pas si je dois aborder avec mon amie mon expérience vécue cette semaine auprès de ma sœur. Je me sens très fatiguée et je me demande si je peux traduire, sans le trahir, tout ce chemin parcouru. Elle ne me questionne pas sur ces derniers jours auprès de ma sœur. Est-elle intéressée ou effrayée à l'idée d'entendre parler des soins palliatifs? Est-elle réceptive à la dimension spirituelle que je ne peux dissocier de ma présence auprès de ma sœur? Je prends conscience de mon hésitation à divulguer mes convictions ou mon questionnement en la matière alors que je me sens en terre inconnue. Mon amitié pour elle et ma croyance en son ouverture d'esprit m'incitent finalement à me livrer en toute confiance. Pendant les deux heures qui suivent, je lui livre dans le détail mon témoignage de ces derniers jours auprès de ma sœur. Tout est inscrit dans ma mémoire et mon émerveillement croît au fur et à mesure que je rassemble toutes les pièces de ce tableau. Avec seulement quelques heures de recul, je me sens de plus en plus privilégiée d'avoir vécu ces journées avec ma sœur. Jacqueline se laisse toucher par mon récit. Comme je partage avec elle mes appréhensions initiales, elle admet qu'elle ne savait pas comment m'aborder avec la maladie de ma sœur. Je découvre en elle un vif intérêt face à la dimension spirituelle et je me propose d'explorer davantage ce territoire auprès de mon entourage. Entrouvrir plus souvent cette porte.

Les trois prochaines journées se passent à la maison. Les nouvelles de Jocelyne confirment qu'elle se dirige rapidement vers la sortie. À mes filles, à mon mari, je raconte cette expérience qui me fait me sentir en contact avec ma sœur. Je suis encore sous l'envoûtement de ces moments passés auprès d'elle. Presque de l'euphorie. Peut-être un puissant analgésique. Comme si je n'avais plus mal. Comme si ce cadeau qu'elle m'a fait n'avait pas fini de m'étonner. Je ne suis plus avec son corps, je suis avec son esprit. Comme si elle était déjà partie.

Cinq journées d'absence. Elle est toujours là. Je m'ennuie d'elle. Je ne me sens plus capable de rester chez moi à attendre son départ. J'ai besoin de la retrouver pendant qu'elle est encore là. Demain je retourne à l'hôpital.

Je suis un peu craintive à l'idée de la retrouver ce samedi. Comment vais-je réagir à son état physique qui, m'a-t-on dit, s'est beaucoup détérioré ? Mon désir d'être auprès d'elle l'emporte sur mes peurs et dès mon arrivée je me rends à son chevet. Ma sœur Claudine veille à ses côtés. Son visage s'est aminci sans être décharné, ses traits n'en paraissent que plus fins encore, sa peau, lisse et soyeuse. Son visage est impassible. Ses lèvres fendillées indiquent son état avancé de déshydratation. Sa bouche entrouverte laisse deviner le degré d'abandon de son corps. Elle semble se reposer d'une dure épreuve. Comme si elle était au bout de son chemin. À la fin d'un voyage qui l'a épuisée. Je lui dis que je suis là. Je l'embrasse. Je ne suis pas certaine qu'elle comprenne, qu'elle sache que je suis là. Je n'ose pas insister. Je ne veux pas la « déranger » dans ses préparatifs de départ. Je ne veux pas troubler son esprit en paix. Ses yeux sont mi-clos et c'est le vide qui paraît être devant elle.

Elle semble chercher quelque chose avec ses mains. Elle n'est pas capable d'exercer de contrôle sur ses mouvements, très lents, malhabiles. Elle essaie sans succès de parler. Les sons se déforment lorsqu'ils sortent de sa bouche. Je me sens tellement impuissante tout à coup. Je ne sais pas exactement ce qu'elle désire. Je ne sais pas comment répondre à son besoin que je voudrais satisfaire sans l'obliger à se débattre pour se faire comprendre. Croyant que c'est ce qu'elle souhaite, je m'apprête à relever son drap qu'elle a finalement réussi à agripper. D'un geste brusque, elle me pousse le bras et étend sa jambe avec l'intention de sortir du lit. Nous nous sentons tout à fait dépassées par la situation. Claudine court réclamer l'aide de l'infirmière. J'ai le sentiment de « débarquer » en terre inconnue.

– Non, Jocelyne, tu ne peux pas te lever. Tu ne peux plus te porter sur tes jambes. Tu dois faire tes besoins dans la couche. Je vais te nettoyer par la suite, lui rappelle l'infirmière d'un ton affirmatif.

Je suis incapable de rester sur place. Je m'empresse de sortir dans le corridor. Pour pleurer, pour absorber le choc. Ce n'est plus la Jocelyne que j'ai côtoyée il y a à peine quelques jours. Comme elle me l'avait clairement laissé entendre, elle a fait le nécessaire pour accélérer le processus. Elle a arrêté de manger, elle ne boit pratiquement plus, tout au plus quelques gouttes d'eau et de la glycérine sur ses lèvres, elle ne se lève plus de son lit pour répondre à ses besoins. Elle a abandonné son corps entre les mains du personnel infirmier. Je comprends maintenant Madeleine, l'infirmière, qui me disait que Jocelyne ne pouvait partir tant qu'elle n'accepterait pas de « nous abandonner son corps ». Abandonner son corps quand la conscience du corps est toujours là. Quand l'esprit, lui, veille encore. Quel détachement, quel lâcher-prise cela doit exiger de ma sœur qui avait réussi à développer cette autonomie dont elle était si fière. Elle a *décidé* de leur abandonner son corps.

Lorsque je retourne à la chambre, à nouveau elle repose dans cet état de semi-conscience dans lequel je l'ai trouvée à mon arrivée. Je prends le temps de regarder autour. Sur sa table de chevet, sculpté dans un bois blond, son bouddha, en position de méditation. À proximité, un petit lampion est allumé. La chandelle de baptême n'a pas dû être retrouvée... Dans un petit pot de céramique portant sa signature, le sel de mer. Une pièce d'étoffe d'environ un mètre sur deux, imprimée de motifs noirs sur fond mauve, est suspendue au-dessus de son lit. Son sarong de Bali, celui qu'elle préfère entre tous. Que représente-t-il donc pour toi, Jocelyne, pour que tu en souhaites la présence au moment de mourir ? Je me rappelle comme tu étais fascinée par la vie de simplicité que tu as découverte en ce pays, par la communion que tu as entrevue entre la nature et les habitants de ce territoire exceptionnel. Tu étais attirée par la spiritualité qui teintait chacune de tes expériences en ce lieu.

Dimanche. Il y a une semaine aujourd'hui je lui faisais mes adieux. J'ai bien fait! Aujourd'hui il serait trop tard. Trop tard pour jaser avec elle. Trop tard pour l'entendre me parler de sa belle voix chaude. Trop tard pour voir toute cette Lumière au fond de ses yeux. Je suis contente d'être venue plus tôt. Contente d'avoir dépassé ma peur, ma peine, d'avoir laissé mon amour pour elle prendre toute la place. Encore plus que jamais je me sens privilégiée des moments passés avec elle. Je suis contente d'être là maintenant. Malgré la peine de la voir dans cette condition. Je suis juste contente d'être auprès d'elle parce qu'elle est encore là. Elle s'agite tout à coup. Elle veut parler. Les mots sortent de sa bouche mais je ne comprends rien. Comme si le film passait tellement au ralenti qu'il était impossible de décoder les paroles sur la bande sonore. Je la sens essayer de toutes ses forces de se faire comprendre. Quelle impuissance je ressens. Je n'ose regarder en face son propre sentiment d'impuissance. J'aurais trop mal.

– Je veux de l'eau, finit-elle par articuler d'une voix qui me surprend par sa violence.

J'ai mal. J'ai le sentiment d'apprendre ce que signifie «nous abandonner son corps». Accepter de s'en remettre complètement aux mains de quelqu'un d'autre pour satisfaire, non plus ses désirs, mais ses besoins les plus vitaux. Être totalement dépendant de l'autre. Elle avait soif. Être privée d'eau. L'eau qui est la source de la vie même. La dernière nourriture physique. Pourquoi ne lui donnons-nous pas d'eau plus souvent, même si elle ne peut le demander? Ma sœur Claudine, qui est là depuis son arrivée dimanche dernier, me fournit un dépliant explicatif qui apaise mes inquiétudes. Je suis rassurée en apprenant que la sensation de soif diminue en phase terminale et que la déshydratation produit une anesthésie naturelle, atténuant ainsi sa perception de la douleur. «Tu sais, Gaétane, je vais mourir dans quelques jours. Je vais arrêter de manger et

de boire et si je suis assez forte spirituellement, je vais partir. »
Elle a enclenché ce processus en sachant à quoi s'attendre. En
tout cas en partie. Elle a accompagné vers la mort son amie souffrante de cancer il y a quelques mois à peine. Elle a lu, beaucoup lu sur la mort. *Le livre tibétain de la vie et de la mort**, que je
découvrirai chez elle, abondamment surligné, ne laisse aucun
doute dans mon esprit à l'effet qu'elle avait une très bonne idée
du processus de la mort. « Si je suis assez forte spirituellement. »
Je ne comprenais pas vraiment le sens de ses paroles à mon
arrivée à son chevet. Je comprends maintenant que l'abandon,
le lâcher-prise, demande une force qui ne peut venir que de
l'Esprit, de la croyance profonde à cette étape difficile comme
étant un passage vers une autre dimension. Dans ces moments
de grande solitude que j'imaginais pour elle ces derniers jours,
puisqu'elle ne pouvait guère communiquer, j'ai réalisé qu'elle
n'était pas seule. Elle abandonnait son corps, ses contacts avec
son entourage et son environnement physique, mais elle n'était
pas seule. Elle était en communion, ses mains tournées vers le
ciel, m'avait fait remarquer ma sœur Claudine, dans une attitude de prière. Ma sœur Gouddha a déployé sa force spirituelle,
développée patiemment dans son quotidien. « Je vais être bien
de l'autre côté. Je n'ai pas peur. Je suis prête. Toute ma vie je
me suis préparée à mourir. » Je ne pensais pas alors que cette
préparation dont elle parlait signifiait apprendre le détachement
face à son propre corps. La pratique du yoga m'a appris depuis
que les yogis pratiquent le *savasana*, qui est la détente complète
du corps de façon consciente, pour être prêts à se détacher de
celui-ci au moment de leur mort.

Mes parents sont hébergés ces derniers jours chez Jocelyne.
Leur présence permet d'utiliser un véhicule supplémentaire
que mon père a mis à leur disposition pour faciliter les nombreux déplacements des membres de la famille. En plus des
visites à l'hôpital, les démarches sont entreprises en vue des

---

* Rinpoché, Sogyal, *Le livre tibétain de la vie et de la mort*, Éditions de
la Table Ronde, collection Les chemins de la sagesse, 1993.

funérailles qui ne sauraient tarder. Bien que difficile, cette étape permettra à la famille de prendre quelques jours de repos le moment venu, avant les derniers adieux. Ma mère a défait l'arbre de Noël avec Benoît, voit à l'entretien ménager et cuisine pour la maisonnée. Mes parents vivent cette période dans la détresse. La peine de voir leur fille s'en aller tout doucement se mêle à la difficulté de se sentir impuissants face à la situation, ne sachant exactement quel rôle jouer alors qu'il leur est très pénible émotivement d'être au chevet de leur fille.

Une nouvelle inattendue vient secouer la famille. La joie profonde et la peine intense se confondent. Marie-Chantal vient d'apprendre qu'elle est enceinte. Comment ne pas se réjouir à l'idée de la naissance d'un enfant attendu ? Comment ne pas s'attrister de savoir que Jocelyne ne sera pas là pour chérir ce petit-enfant qu'elle aurait tant aimé avoir ? Comment ne pas s'inquiéter pour Marie-Chantal de la savoir aux prises avec la Vie et la Mort en ce même instant ? Cette nouvelle sera-t-elle une joie ou une peine pour Jocelyne alors qu'elle se meurt ?

Marie-Chantal décide d'annoncer la nouvelle à sa mère sans tarder bien que, ses réactions étant à ce point limitées, il est souvent difficile de savoir si elle est toujours présente à ce qui se passe autour d'elle.

– M'man, j'ai une grande nouvelle à t'apprendre. Je suis enceinte. Je vais avoir un beau p'tit bébé !

Trop prise par ses propres émotions, Marie-Chantal n'arrive pas à lire le moindre signe dans le regard de sa mère. Debout derrière sa douce, Harrison, lui, perçoit bien le scintillement dans les yeux de Jocelyne. Elle a compris ! Elle le savait déjà d'ailleurs. Ce matin-là, il y a huit jours, tout juste avant leur départ pour l'aéroport...

Mardi. Ma sœur Claudine se repose au petit salon alors que je veille Jocelyne à mon tour. Veiller sur elle n'implique plus les mêmes gestes qu'il y a à peine une semaine. C'est une longue attente devant la vie qui se défait tout doucement. Les soubresauts de sa respiration de plus en plus irrégulière me déstabilisent dans ma propre sécurité intérieure. La communication de sa part passe par le toucher. Lorsqu'elle peut nous entendre et qu'elle peut réagir pour nous donner une réponse. Ce que je n'ai guère vu ces derniers jours. Depuis quelques minutes je la sens légèrement agitée. Elle bouge à peine son corps mais j'entends ses gémissements. Assise depuis un bon moment à ses côtés, sa main dans la mienne, j'aimerais pouvoir la réconforter. Mes paroles ne semblent pas l'atteindre. Me sentant au bout de mes ressources, je fredonne à voix basse, comme pour moi-même, la *Berceuse* de Brahms. Cette berceuse que j'ai fredonnée si souvent pour endormir mes filles. Cette même berceuse que France et moi avons écoutée lors de notre « party de filles » et qui avait amené ma sœur Gouddha à l'extase. Je me berce dans cette mélodie qui me console, me réconforte comme si quelqu'un d'autre la chantait pour moi.

– Hum, hum, hum... hum, hum, hum...

La voix est rauque, saccadée, caverneuse. C'est elle. *Elle est là*. Jocelyne fredonne avec moi. Elle a entendu ma berceuse. Je suis si heureuse de ce contact avec elle. Je m'approche tout près de son visage et pour la taquiner je lui lance :

– Toi, ma sœur, tu as toujours chanté mieux que moi.

Elle me gratifie d'un cadeau que je n'oublierai jamais : *elle me sourit*. Ses lèvres esquissent le plus beau sourire que je ne lui ai jamais vu. Un petit sourire doux et aimant dans lequel je sais son rire intérieur à ma boutade.

– *Reste là*. Je vais chercher Claudine sinon elle ne me croira pas. Je veux que tu lui montres que tu chantes.

Et je m'empresse d'aller tirer ma sœur du divan sur lequel elle s'était blottie.

– Toi qui aimes tant chanter, on va chanter avec toi, Jocelyne.

Nous fredonnons toutes les trois la *Berceuse* de Brahms. Elle nous suit, ne semble pas vouloir s'arrêter après avoir répété la mélodie à quelques reprises. Ayant en tête les violons d'Angèle

Dubeau que nous avons si souvent écoutés avec elle, je lui propose :

– Et si on chantait *Un Canadien errant*? Tu as toujours aimé les vieilles chansons.

Claudine et moi prenons les devants et sa voix qui fredonne nous accompagne jusqu'à ce que nous sentions son incapacité à continuer. Quel moment extraordinaire de pouvoir communiquer avec elle et partager ce doux plaisir de chanter, les trois sœurs ensemble.

Après ce moment de pure grâce, est-ce son esprit qui se rebelle soudainement, n'acceptant plus tout à coup l'état de son corps ? La souffrance de ne plus pouvoir s'exprimer, se raconter. La douleur de se sentir seule avec ce corps, dans ce corps qui la déleste de tout son potentiel de relation interpersonnelle. La détresse l'attaque sournoisement, comme elle nous assaille nous aussi en la voyant brusquement si agitée, si plaintive. « Évitez de la stimuler », m'avait dit Madeleine à mon retour à l'hôpital alors que je m'informais de la façon d'être aidante dans l'état actuel de Jocelyne. Je m'en veux. Je m'en veux d'avoir encouragé son éveil à ses sens. Je m'en veux d'avoir tiré plaisir de cette complicité qui l'amène maintenant à ce tourment. Au-delà de la culpabilité qui cherche en moi sa place, je réalise que cette douceur, ce moment de tendresse que nous avons partagés ne peuvent être niés. Nous avons toutes les trois agrippé avec avidité ce petit bonheur qui s'offrait à nous. J'espère que Jocelyne peut s'en servir comme un baume sur sa plaie entrouverte.

Alors que notre relève d'anges gardiens est arrivée, nous rencontrons son médecin, de passage au petit salon. Dans l'état actuel de Jocelyne, il prévoit encore deux à trois semaines d'agonie. Elle possède encore beaucoup d'eau dans son corps et il ne prévoit pas de complication à l'évolution de la maladie. Ce délai me paraît terriblement long pour elle et j'ai peine à y croire tellement je suis persuadée que Jocelyne partira sous peu. Il y aura deux semaines dimanche que Marie-Chantal est arrivée. Jocelyne ne va pas s'attarder beaucoup plus longtemps.

Aujourd'hui jeudi, ma belle-sœur Lucie m'accompagne à l'hôpital après son travail. Nous alternons notre présence auprès de Jocelyne. Une présence discrète, dans le silence et le recueillement, prête à se manifester au besoin. En arrivant à sa chambre ce soir, je sens une odeur de mort. Je ne sais comment je peux dire cela puisque c'est la première fois que je vis cette situation, mais je perçois un changement dans l'odeur de son corps. Je n'y retrouve plus son parfum naturel, délicat et plein d'arômes à la fois. Assurément celui des fleurs! Aujourd'hui je perçois une autre émanation. À moins que ce ne soit simplement l'absence de son parfum. L'odeur de la mort serait-elle celle du corps en train de se dépouiller de son *Essence?* Seule avec ma sœur, je sens la mort qui approche. Elle ne peut plus être bien loin. Il me semble que Jocelyne a déjà quitté son corps. Pourtant sa respiration me rappelle à la vie qui l'habite encore. Je sais qu'elle doit se détacher complètement pour quitter son corps. En pensée, je continue de m'adresser à elle.

– Je te laisse partir, Jocelyne. Je sais que tu vas vers la Lumière. Je comprends que tu nous quittes. Je l'accepte. Je t'aime, ma sœur.

J'aime l'appeler «ma sœur». Comme si ces mots me révélaient toute la richesse du lien qui nous unit.

– Je te demande pardon pour mes manques à ton égard. Merci de ce que ta présence a apporté dans ma vie. Merci de m'avoir fait une place dans ta vie.

Je m'étonne d'être là, seule dans la chambre, à accompagner ma sœur mourante sans éprouver de peur viscérale. C'est pour moi un apprentissage de l'essence même de la Vie que de la voir s'en aller ainsi tout doucement. Comme si le corps se vidait paisiblement de l'Énergie extraordinaire qui l'a habité pendant son passage sur terre. Je tends la main pour prendre le livre que j'aperçois tout à coup près de moi. *Grandir; aimer, perdre et grandir.* Je le connais bien, ce volume. Je l'ai étudié, digéré page par page, j'en ai assimilé chaque thème pendant des jours avant de poursuivre ma lecture. C'était il y a un an. J'apprenais à faire le deuil de mon emploi. Un milieu de travail que j'avais adoré et que je choisissais de quitter définitivement. J'apprenais à faire le deuil d'une relation d'amitié que j'avais entretenue avec affection pendant des années. À laisser tomber la colère, la détresse, la rancune et la peine. Apprivoiser le pardon, la sérénité. J'apprenais à faire le deuil de collègues de travail, devenues des amies très chères, qui me manquaient terriblement au jour le jour. J'apprenais la perte, le deuil. Et je me rappelle très claire-ment avoir souhaité ne pas avoir à vivre le deuil, le vrai, à court ou moyen terme.

J'ouvre au hasard des pages. *L'âme n'aurait pas d'arcs-en-ciel si les yeux n'avaient pas de larmes** (dicton anglais.) J'ai lu cette phrase pour la première fois dans le bureau d'une psychologue. En me réconfortant à l'idée qu'un jour mon âme aurait son arc-en-ciel. J'ai beaucoup cherché. Mon arc-en-ciel en ce moment, c'est peut-être d'avoir été capable d'accompagner Jocelyne sur sa route. L'automne dernier, avant même de savoir que ma sœur était gravement malade, mes lectures me conduisaient sur la souffrance, le monde des âmes, l'amour qui remplace la peur, l'accompagnement des personnes mourantes. Sans le savoir je me suis préparée à être auprès d'elle. Toute ma souffrance, mes recherches de la dernière année m'ont aidée à intégrer mon âme, à vivre dans la sérénité le départ de Jocelyne. Elle avait rai-son. Mon burnout, c'était bien un *cadeau mal emballé*!

Je sens le besoin régulièrement d'aller prendre l'air en dehors de la chambre. De respirer profondément pour sentir la vie circuler en moi. Ma belle-sœur Lucie me rejoint à la cham-bre pour effectuer un relais. Normand, l'infirmier, arrive au même moment. Il vient surveiller la médication et prodiguer à Jocelyne les soins nécessaires à son confort.

– Je vais devoir te retourner, Jocelyne, je vais faire ça rapi-dement en prenant soin de ne pas te faire mal.

Son message à Jocelyne me rappelle une conversation plus tôt cette semaine avec Linda. «À ce stade-ci, les malades sont

---

*   Monbourquette, Jean, *Grandir; aimer, perdre et grandir*, Ottawa, Novalis, 1994, p. 105.

souvent plus conscients que nous le croyons. Nous devons éviter de chuchoter devant eux pour ne pas les déranger. En même temps, il est bon de s'adresser à eux pour leur laisser savoir ce que l'on fait de leur corps lors des soins. » Normand sollicite notre aide dans sa manœuvre pour tourner Jocelyne sur le côté et changer sa couche. Ces mouvements du corps la rendent tout à coup très souffrante et plaintive. Un gémissement que j'ai de la difficulté à entendre tant il me fait mal. Comme me fait mal cet état de fragilité et d'impuissance totale que j'observe avec une certaine frayeur. La dépendance complète, absolue. Le corps qui n'est plus qu'un fardeau, une croix à porter. Je songe à la personnalité fière et autonome qu'est ma sœur et j'ai de la difficulté à contenir mon chagrin de la voir ainsi. La mort se rapproche de la naissance. Cet état de dépendance absolue du nouveau-né qui le conduit pourtant vers une Vie insoupçonnée, nouvelle et riche. La boucle se referme. Ce n'est rien d'autre qu'une boucle. Où se succèdent la Naissance, le Passage sur terre, la Mort, l'Autre Vie. Puis une nouvelle boucle se forme. Nous ne sommes ici que de passage. En voyage vers l'Autre Vie.

À quelques reprises au cours de mes visites à l'hôpital, j'ai consulté le personnel des soins palliatifs pour comprendre leur travail, suivre l'évolution du traitement de Jocelyne et pour mieux me situer face aux soins que je lui apportais. J'ai apprécié leur capacité d'accueil et leur support qui ne s'est jamais démenti. J'ai été étonnée de constater à quel point ces femmes et ces hommes sont investis d'une mission particulière. Car il s'agit bien d'une mission que d'accompagner dans leurs souffrances des personnes mourantes, sans souffrir soi-même. Une noble mission que de voir la vie quitter le corps, petit à petit, jour après jour, un malade en remplaçant toujours un autre, une mort succédant à une autre. Une humble mission que d'être là dans ces soins de base alors que l'adulte ressemble au nouveau-né dans ses besoins. Une mission de compassion que celle de soigner, l'une après l'autre, des personnes qui *viennent mourir*. Le personnel infirmier soigne habituellement dans un processus de recouvrement de la santé. Soigner en sachant que la mort est *la* destination évoque pour moi une mission réservée à des personnes dont les croyances vont au-delà de la mort.

Martin et Harrison prennent la relève pour la nuit. Est-ce bien cette nuit-là, alors que Martin se reposait au petit salon, ou bien lors d'une autre garde, que cet échange a pris place ? Peu importe. Les yeux clos, Jocelyne ne semble pourtant pas dormir. Harrison veille, s'interrogeant en lui-même sur les besoins de sa belle-mère.

– Je me demande si elle prendrait un peu d'eau.

Jocelyne ouvre les yeux et lui dit en anglais :

– Oui, j'en prendrais.

– Quoi donc ? demande Harrison, surpris.

– De l'eau !

Il approche le verre de la bouche de Jocelyne et le laisse entre ses mains. Elle boit une petite gorgée, puis ferme les yeux. Un moment s'est écoulé, Harrison se demande si elle a terminé.

– Oui, j'ai terminé, répond-elle au même instant, toujours dans la langue accessible à son gendre.

Comme me l'apprenait Harrison dans un moment de grande complicité, ces échanges se sont produits à quelques reprises, laissant chez lui un fort sentiment de connexion à une même énergie, une même source.

Ce vendredi je ne vais pas à l'hôpital. Cela m'est de plus en plus difficile, pour moi comme pour ses autres anges gardiens, d'être à son chevet. La voir dans cet état de souffrance et de perte complète d'autonomie se supporte à petites doses à la fois. L'équipe des anges gardiens s'est agrandie et continue de veiller sur elle vingt-quatre heures sur vingt-quatre. Mes heures passées auprès d'elle cette semaine sont moins longues. Aujourd'hui, je sens le besoin de me reposer en prévision du grand moment à venir. Je sens le besoin de rester à l'écart et d'assimiler les nouvelles expériences vécues auprès de Jocelyne. Ma sœur Claudine quitte le Québec dimanche pour aller retrouver ses enfants et son mari, après deux semaines de présence auprès de la famille de Jocelyne chez qui elle s'était installée.

Afin de nous donner l'occasion de passer un dernier moment en famille avec Claudine, nous nous retrouvons au restaurant en soirée pour célébrer sa fête qui avait lieu hier. J'entends Jocelyne me demander lors de sa première semaine d'hospitalisation : « Nous sommes quel jour aujourd'hui ? C'est quand donc la fête de Claudine ? Je ne veux pas mourir le jour de sa fête. Je vais essayer de ne pas lui faire ça. » Ce soir, au restaurant, elle nous manque. Et pourtant nous ne faisons pas *comme si*. *Comme si* elle n'était pas malade, *comme si* elle n'était pas mourante. *Comme si* elle était simplement occupée ailleurs par une autre activité. Elle qui a toujours aimé les occasions de réjouissances aurait aimé être là, *elle aurait été là*. Et c'est pour cela que nous décidons de *continuer la vie ici*, pour respecter sa croyance que la mort n'est pas la fin de tout, mais le début d'une nouvelle vie de Lumière *ailleurs*. Ma mère comprend difficilement que l'on puisse se réjouir de quoi que ce soit alors que sa fille va bientôt mourir. Sa relation à la mort est très différente de celle que je vis actuellement. Bien que très croyante, elle ne reçoit guère d'apaisement à la pensée que l'âme de sa fille s'en aille vers une nouvelle vie. Cela lui semble trop abstrait, trop loin de sa réalité de mère subissant la perte de son enfant.

Pourtant, l'idée que « ma sœur est mourante » ne me quitte jamais et me surprend encore par sa violence. Quand je regarde la vie *continuer* autour de moi dans ces moments-là, j'aurais le goût de dire : « Arrêtez tout, ma sœur Jocelyne est mourante. » « La vie continue », une maxime qui ne signifiait rien pour moi, se présente maintenant à moi comme une évidence, une source de réconfort. En fin de soirée, Claudine se rend à l'hôpital rejoindre Francine, notre toujours dévouée cousine infirmière. Cette nuit, Claudine tient à être l'ange gardien de Jocelyne puisqu'elle prend l'avion demain pour le Mexique...

Consciente que ce sera sans doute sa dernière rencontre avec sa sœur aînée, elle veut s'accorder ce moment privilégié auprès d'elle.

Aujourd'hui samedi, ma sœur France et moi sommes de garde en tout début d'après-midi. Comme je n'ai pas vu Jocelyne de la journée hier, je sens comme une urgence de me rendre auprès d'elle. Je suis contente de me rendre là avec France. Je me rappelle notre «party de filles», il y a deux semaines exactement. Mais l'état de notre sœur n'est plus le même. Nous signalons notre présence à l'ange gardien puis nous rendons au petit salon y déposer notre petit goûter. Alors que je suis fin prête à me rendre à la chambre, France entreprend d'enlever ses bottes. Une opération qui me semble s'éterniser.

– Je me rends tout de suite à la chambre. Tu viendras me rejoindre.

Mes paroles sont aussitôt suivies d'un :

– Non, non, attends-moi. Je ne veux pas arriver là toute seule.

Je comprends tout à coup que France se sent très effrayée à l'idée de retrouver Jocelyne qu'elle n'a pas vue elle non plus depuis jeudi. Je me sens moi aussi troublée à l'idée de la revoir après cette absence. France étire le temps, je le sens bien. Ses gestes sont lents, précis, ordonnés, comme si elle repoussait la douleur qu'elle anticipe. Mon cœur se débat soudainement avec la peur «d'arriver trop tard». Tout à coup il me semble qu'elle peut mourir à tout moment.

– Bon, France, je sais très bien que tu étires le temps. Si tu ne te dépêches pas plus que ça, je vais y aller sans toi.

Rapidement elle range ses bottes et nous nous dirigeons vers la chambre 561. Je ne connais pas cet ange gardien auprès de ma sœur, mais c'est assurément une amie. Je la salue et m'approche de Jocelyne, l'embrasse. Sa tête est légèrement tournée sur le côté droit, les yeux et la bouche entrouverts. Elle ne réagit pas à l'annonce de notre arrivée. J'espère qu'elle sait tout de même que nous sommes auprès d'elle. Elle semble dormir d'un sommeil très profond, très paisible. Je suis contente d'être enfin à ses côtés. D'être enfin en sa présence. Ginette s'apprête à quitter et veut nous informer du déroulement de la matinée. Elle nous parle, mais je n'entends rien, trop préoccupée à vouloir me concentrer sur Jocelyne. Et puis je ne veux pas parler dans la chambre. Je sais depuis mon chant de la *Berceuse* de Brahms que malgré une apparence de sommeil elle peut avoir pleine conscience de ce que nous disons. Je suggère à contrecœur d'aller dans le corridor, car honnêtement je ne m'intéresse pas à ce qui s'est passé ce matin. Pas maintenant. Je veux juste être auprès de Jocelyne.

– Elle était très agitée ce matin. Votre sœur Claudine a quitté vers midi seulement. Martin a passé l'avant-midi lui aussi.

J'écoute d'une oreille distraite. J'ai hâte que le compte rendu finisse. Je ne sais plus trop ce qu'elle raconte.

De l'encadrement de la porte, Ginette entend un bruit et se précipite dans la chambre. France et moi ne réagissons pas à ce qui nous semble normal. Comme celle-ci ne revient pas après quelques secondes, je m'avance dans la chambre pour apercevoir Ginette légèrement penchée au-dessus du lit. Je me propose d'entrer. France me suggère plutôt de laisser cette amie faire ses adieux avant de partir. Je me résous à attendre quelques secondes de plus. Puis Ginette sort à grands pas, le regard au plancher. Je me dis que ses adieux ont été difficiles. Elle emprunte le corridor sans prendre son manteau. Vers le bureau du personnel...

Je me précipite dans la chambre, suivie de ma sœur. Jocelyne est exactement dans la même position que tout à l'heure. Pourtant je sens que quelque chose ne va pas. Que s'est-il passé en présence de Ginette ? Est-ce qu'elle respire ? J'approche mon visage près de sa bouche. Je prends son poignet pour en tâter le pouls. Je fais ces gestes comme si j'avais appris que c'était cela qu'il fallait faire. Mais je fais ces gestes sans recueillir la moindre information, sans m'attarder à la réponse que je pourrais recevoir. Car je sens bien que ce que je fais est tout à fait inutile. Alors que je pose mon regard inquisiteur sur ma sœur, je vois très bien son souffle faire vibrer doucement la paroi de sa gorge. L'infirmière accourt, prend le pouls.

– C'est terminé.

Avec douceur, elle ferme à tout jamais les yeux, déjà mi-clos, de Jocelyne.

– En es-tu absolument certaine ?

Il me semble que ce n'est pas possible. Je me dis qu'elle va se mettre à respirer à nouveau. La respiration ne s'arrête pas comme ça, non ? Même quand on ne le sait pas on respire. C'est ça mourir ? C'était vraiment son dernier souffle que j'ai vu ? C'est comme ça que ça se passe ? Aussi vite que ça ? L'idée d'annoncer le décès me trouble, comme si on pouvait s'être trompées.

– Est-ce que nous devons attendre la visite du médecin pour informer la famille ?

– Vous pouvez le faire maintenant. Nous sommes habituées ici aux soins palliatifs. Le médecin passera plus tard.

L'infirmière quitte la chambre. Ginette est là, un peu à l'écart. Nous ne trouvons rien de mieux à dire que :

– Tu peux partir. Nous resterons avec elle. Merci d'avoir été auprès d'elle.

Elle quitte la chambre et je la sens elle aussi déchirée, bien que je ne connaisse pas précisément son lien avec Jocelyne. France et moi sentons le besoin de nous recueillir dans le plus grand silence près de notre sœur.

– Sois heureuse, ma sœur. Je t'aime. Va vers la Lumière.

J'imagine son Âme encore dans la pièce, regardant ce corps sur le lit, nous observant d'en haut à ses côtés. Je la cherche du regard dans cet espace restreint. Je cherche un signe d'elle.

– Faisons-lui entendre la *Berceuse* de Brahms.

Jocelyne a adoré cette mélodie jouée par les violons d'Angèle Dubeau parce que cette musique est céleste. Cette légèreté et cette pureté des sons transporteront son âme. Pour nous, ces notes font vibrer tout l'amour que nous avons pour elle.

Après quelques minutes, la tâche d'informer la famille nous rappelle à nos responsabilités. Ce que nous faisons en comptant sur l'aide de chacun. Une fois ce travail délicat accompli, nous pouvons continuer de veiller Jocelyne en attendant l'arrivée de Martin et d'autres membres de la famille. France pleure dans le recoin de la chambre lorsque je reviens du bureau de l'infirmière où j'ai pris un appel. Dans les bras l'une de l'autre, nous pleurons tout doucement. Nous avons perdu notre sœur, notre grande sœur.

C'est fini maintenant. Jocelyne est vraiment partie. Je regarde ce corps que j'ai tant aimé sans toujours en être consciente. J'aimais sa personnalité. J'aimais son âme qu'elle m'a fait découvrir davantage ces dernières années. Mais j'aimais aussi ce corps qui, malgré ses souffrances physiques, dégageait une telle Énergie, une telle vitalité intérieure, une telle beauté. Ce corps qui me signifiait sa *présence*. Je dois moi aussi me détacher de ce corps. Le remercier et le laisser partir. J'ai le goût de lui tenir la main encore un peu. À moins que ce ne soit elle qui tienne la mienne en ce moment. Déjà ses mains sont blanches et elles ont refroidi. Je n'ai pas peur. Je suis heureuse pour elle. Je suis heureuse qu'elle se soit sentie entourée, aimée. Je suis heureuse qu'elle soit partie en harmonie avec nous. Je suis heureuse qu'elle aille retrouver cette Autre vie qui l'attirait. Je n'avais pas pensé au fait qu'elle puisse partir sans que je sois là. Je suis heureuse qu'elle nous ait attendues, France et moi, pour ce grand départ. Je suis heureuse d'être là avec elle alors que son âme habite encore en ces lieux. Je sais qu'elle sera heureuse là où elle va.

Martin et quelques membres de la famille arrivent au moment où le prêtre vient faire une prière pour Jocelyne. Nous formons un petit cercle uni autour d'elle. Après les derniers adieux, nous emportons avec nous les derniers souvenirs de Jocelyne : les photos de ceux qu'elle aimait, son sarong de Bali, son bouddha, ses derniers effets personnels.

Quitter la chambre en laissant derrière moi ce corps. Quitter l'hôpital en y laissant ma sœur, ma grande amie. Dehors dans cette journée hivernale froide et blanche, je lève mon regard vers la fenêtre de sa chambre, reconnaissable aux vitraux que Marie-Chantal a fabriqués pour elle.

– N'oublie pas, fais-moi signe quand tu seras rendue.

BIBLIOGRAPHIE

Ban Breathnach, Sarah, *L'abondance dans la simplicité; la gratitude au fil des jours*, Montréal, Éditions du Roseau, 1999.

Gawain, Shakti, *Un instant, une pensée pour chaque jour*, Barret-Le-Bas, Éditions Le Souffle d'or, collection Chrysalide, 1988.

Monbourquette, Jean, *Grandir; aimer, perdre et grandir*, Ottawa, Novalis, 1994.

Rinpoché, Sogyal, *Le livre tibétain de la vie et de la mort*, Éditions de la Table Ronde, collection Les chemins de la sagesse,1993.

Simonton, Dr Carl, et Henson, Reid, *L'aventure d'une guérison*, Belfond, 1993.

Sinclair, Céline, *Agenda des gagnants 1999*, Montréal, Utilis, 1998.

TABLE DES MATIÈRES

IMPRESSION
IMPRIMERIE GAGNÉ

IMPRIMÉ AU CANADA